www.gbbook.co.kr

자동차 튜닝 학습서 II

Automobile tuning workbook

섀시 & 차체 튜닝

(사)한국자동차튜닝산업협회 편찬위원회
KOREA AUTO TUNING INDUSTRY ASSOCIATION

GoldenBell

머리말

    자동차는 이제 단순한 이동 수단이 아닌 '움직이는 생활공간'으로 바뀌고 있다. 하지만 자동차의 제작 공정상 개인의 취향이나 개성에 따른 나만의 차를 제작하기는 쉽지 않다. 이에 일반 양산차를 자동차의 성능, 디자인, 편의성 등의 개조를 통한 나만의 개성이 강한 차로 개조하는가 하면, 일반 양산차에 숨어있는 기능을 업그레이드시켜 안전하고 친환경 요소를 강조하는 등의 특화된 작업을 자동차튜닝이라 할 수 있다.

    이렇듯 자동차튜닝은 개성을 강화시키고 자동차 문화를 풍부하게 하면서 실과 바늘의 관계인 모터스포츠 분야로의 활성화까지 촉진시키는 숨어있는 먹거리의 기능으로 자동차의 질적인 측면을 강조하는 분야인 것이다.

    정부에서는 이러한 자동차 튜닝산업의 가능성을 보고 2013년 국가적인 차원에서 수면 위로 올리고 나름 여러모로 노력하였으나 정부부처의 알력이나 잘못된 움직임으로 피부로 느낄 만큼의 가시적인 효과를 내지 못한 것은 매우 아쉽다고 할 수 있다. 하지만 한국자동차튜닝산업협회를 기반으로 자동차튜닝 발전에 가시적인 결과도 도출하였다.

    첫째 **자동차 튜닝분야의 산업 분류 체계**를 서비스 분야가 아닌 **제조업 분야**로 일구어 황무지를 개간하는 역할을 충실히 하였다는 것이다. 제조업 분야의 분류는 서비스업과 달리 수십 가지가 다를 정도로 잇점이 크다. 당장 사용하는 전기에너지를 산업용으로 활용 가능하고 필요하면 해외의 인력을 활용할 수 있는 등 다양성 측면에서 서비스업종 분류와 비교가 되지 않는 장점을 지니고 있기 때문이다.

    둘째 **자동차튜닝원**이라는 직업 분류 체계를 신설하고 **자동차튜닝 자격증** 제도를 시행하였다는 것이다. 튜닝 자격증은 불법적인 자동차 튜닝의 이미지를 수면 위로 올려 자동차튜닝 종사자를 체계적으로 관리하고 정당한 기술인으로 인정받게 하는 역할을 하기 때문이다.

셋째 **자동차튜닝 관련 튜닝산업법안 추진에 따른 튜닝활성화** 노력을 들 수 있다. 각종 불합리한 규제와 규정에 묶여 튜닝 선진국에 비해 보잘 것 없는 규모를 보이는 우리 튜닝산업을 안전과 환경 문제을 제외한 규제와 규정을 해소함으로써 보다 활성화된 산업으로 발전시킬 기본 조건을 마련하고 있다는 것이다.

그 외 각종 튜닝 관련 세미나는 물론 전국 지자체의 튜닝단지 활성화와 산학협약을 통한 튜닝전문 인력 양성 등 튜닝산업 활성화에 노력하여 이제 그 결과를 가시적으로 이루어나가고 있다.

자동차튜닝의 미래는 밝다. 물론 수년 간 불모지였고 부정적인 시각과 제도가 자리매김하였던 만큼 단기간에 활성화는 쉽지 않으리라 짐작한다. 하지만 이제 그 간의 노력으로 이루어지고 있는 결과들이 가시적으로 보이기 시작하고, 부정적으로만 바라보던 튜닝에 대한 일반인의 인식도 주변에서 흔하게 보이기 시작한 캠핑카, 푸드트럭, 장애인차 그리고 친환경 저공해차량 개조에 이르는 눈으로 확인할 수 있는 튜닝차량으로 인해 튜닝이 일상과 밀접한 관계임을 인식하기 시작하고 있으며 이모든 것이 본격적인 튜닝의 미래로 자리 잡아 먹거리가 될 것이다.

국내 자동차 튜닝산업 활성화는 아직도 진행형인 만큼 인내를 가지고 기다리면 우리가 동경하는 튜닝 선진국의 모습이 우리의 모습이 될 것이다.

KATIA
(사)한국자동차튜닝산업협회

2019년 6월

c·o·n·t·e·n·t·s

차례

CHAPTER 3
자동차 현가장치 튜닝

CHAPTER 4
자동차 조향장치 튜닝

부록

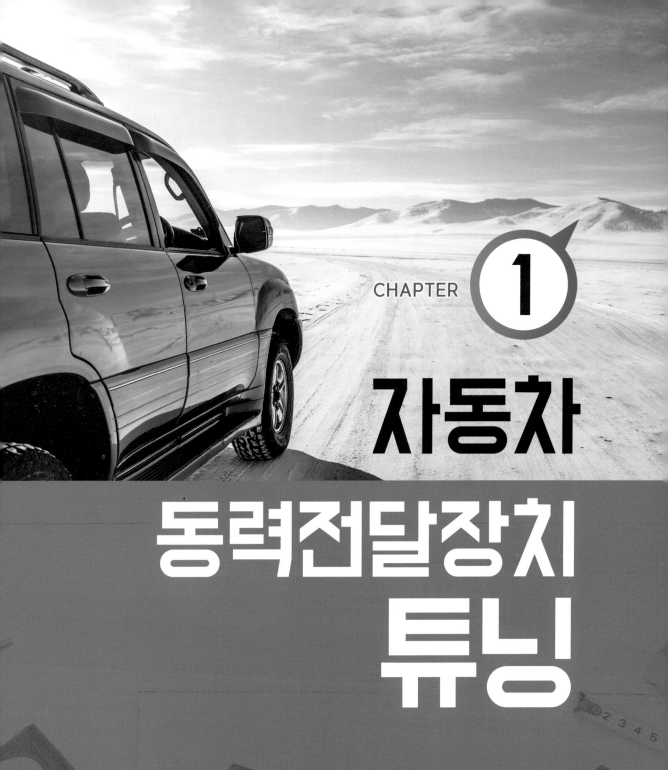

CHAPTER **1**

자동차

동력전달장치
튜닝

CHAPTER 1 동력전달장치 튜닝

01 동력전달장치 튜닝 개론

동력전달장치 튜닝은 성능 향상을 목적으로 자동차의 구조, 장치 중 동력전달장치부분에 대한 일부를 변경하거나 부착물을 추가하는 것을 말하며 동력전달장치 튜닝 시에 이에 적합한 부분에 대한 튜닝이 사용자의 요청에 따라 협의하고 동력전달장치가 성능을 낼 수 있도록 구상하고 안전과 법규를 만족하는 동력전달장치 튜닝을 기획하는 것이 필수적이다.

1 동력전달장치 튜닝 항목

동력전달장치 튜닝 항목으로는 변속기, 클러치Clutch, 플라이 휠Fly Wheel, 차동제한장치(LSDLimited Slip Differential), 기어 노브Gear Nob, 튜닝 페달Pedal, 휠과 타이어 등이 있다.

(1) 플라이휠 Fly Wheel

플라이휠은 엔진의 출력에 의해 갑작스러운 속도변화를 원활하게 하는 역할을 한다. 플라이휠 튜닝의 경우 급회전을 원활하게하기 위해 경량 휠 또는 섬세한 밸런스 플라이휠로 튜닝을 한다.

(2) 클러치 Clutch

클러치란 엔진과 수동변속기의 사이에 들어 있는 중간

그림 1-01 플라이휠

장치로 엔진의 회전력을 미션에 전달하거나 분리하는 역할을 하며 클러치 디스크(클러치 프레트)와 다이어프램 스프링, 클러치 레버의 기본적인 구조로 되어 있다.

클러치 튜닝은 엔진파워가 높아 졌을 경우 클러치 디스크의 마찰력도가 높아지기 때문에 순간적으로 연결할 때 부분에서 클러치 디스크가 미끄러지는 현상을 일으켜 구동축으로 완전하게 전달되지 않는 현상이 일어나므로 이 점을 보강하기 위해서는 강화 클러치로 튜닝을 한다.

그림 1-02 **클러치 튜닝**

(3) 변속기

변속기는 엔진동력을 이용하여 자동차의 적재 하중, 주행 속도, 도로 상태와 경사도 등에 따라 구동 바퀴의 회전력이나 회전 속도를 변화시키는 역할을 한다.

변속기 튜닝은 수동변속기에서 자동변속기 바꾸는 경우와 자동변속기에서 수동변속기 바꾸는 경우가 있을 수 있고 세미오토를 수동변속기로 바꾸거나 동력 인출장치(PTO)를 설치하는 경우이다.

그림 1-03 **변속기**

(4) 액셀러레이터 페달 Pedal

페달은 액셀러레이터, 클러치, 제동장치 페달의 보조 발판으로 튜닝 페달을 장착함으로써 페달의 폭을 넓히고 페달과 페달의 간격을 좁혀 발의 이동거리를 줄여 신속한 조작이 가능하게 된다.

그림 1-04 **액셀러레이터 페달**

단 주의점으로는 간격이 과하게 좁으면 페달을 밟을 때 동시에 밟히는 경우도 있기 때문에 주의해야 한다는 점을 운전자에게 설명 하여야 한다.

(5) 차동장치 Differential

자동차의 동력전달 과정을 보면 엔진 ⇨ 미션 ⇨ **차동기어**Differential, Final ⇨ 타이어의 순서로 노면에 동력이 전달된다. 차동장치의 역할은 차량이 선회할 경우 안쪽의 타이어 회전보다 바깥쪽의 타이어를 회전 반경의 길이만큼 회전시켜 차량의 선회를 원활하게 하는 기능을 한다. 예를 들면 왼쪽으로 회전 시 왼쪽 타이어의 접지저항이 커지며, 반면에 오른쪽 타이어 측이 왼쪽 타이어보다 저항이 작기 때문에 왼쪽 타이어보다 많은 회전을 하게 되는 원리이다.

그림 1-05 **차동장치**

(6) 타이어

자동차에서 어떤 타이어를 사용하느냐에 따라서 운전 시의 안정감이나 승차감이 달라지며 특히, 차량 선회 시에 코너링의 느낌이 확연하게 달라지는 것이다.

타이어 폭이 같고 편평비가 높은 타이어는 승차감이 좋고 편평비가 낮은 타이어는 코너링의 안정감이 생긴다. 그리고 각 타이어 제조업체에 따라서 타이어의 고무재질과 구조에 여러 사양이 존재하므로 운전 스타일에 맞는 타이어를 선택하는 것이 중요하다.

그림 1-06 **타이어**

02 동력전달장치 튜닝 장착

1 변속기(수동↔자동) 변경 장착

(1) 변경 내용

① 수동변속기에서 자동변속기로 교환하는 경우

② 자동변속기에서 수동변속기로 교환하는 경우

(2) 법령 근거

① 자동차관리법 시행규칙 제55조제1항제2호의 장치 변경

② 자동차안전기준에 관한 규칙 제11조(원동기 및 동력전달장치)

(3) 승인 조건

① 변경전보다 성능 또는 안전도의 저하가 없을 것

② 변속용량이 적은 것을 사용할 경우 변속성능이 저하하므로 차명과 배기량이 동일한 자동차에 사용되는 변속기일 것

(4) 승인 사례

● 수동변속기(5/1단) ↔ 자동변속기(4/1단)

(5) 변속기 조립, 장착 및 검사

변속기 조립과 장착은 해당 차량의 정비지침서와 튜닝부품에 해당하는 사용설명서 및 정비지침서를 참고하여 조립 및 장착하고 차량에서 다음과 같은 현상이 없는지 검사한다.   ⇨ ① 소음·진동 상태   ② 누유 상태   ③ 변속 상태   ④ 기어빠짐 상태

2 동력인출장치(PTO) 장착

(1) 변경 내용

① 변속기 일부 동력을 이용 PTO(동력인출장치) 설치하는 경우

② 변속기 일부 동력을 이용 트렉터 공기압축기 설치하는 경우

(2) 법령 근거

① 자동차관리법 시행규칙 제55조제1항제2호의 장치 변경

② 자동차안전기준에 관한 규칙 제11조(원동기 및 동력전달장치)

(3) 승인 조건

① 동력전달장치의 동력인출로 성능 또는 안전도 저하가 없을 것

② 연결부의 손상 또는 오일의 누출 등이 없어야 함

그림 1-07 **동력인출장치(PTO) 설치**

(4) 승인 사례

● 그림 1-07 참조

3 원치 장착

(1) 변경 내용

원통형의 드럼에 와이어 로프를 감아, 도르래를 이용해서 중량물(重量物)을 높은 곳으로 들어 올리거나 끌어당기는 기계를 윈치라고 하며 자동차의 동력을 인출하여 유압식 윈치를 설치하는 경우를 말한다.

(2) 법령 근거

① 자동차관리법 시행규칙 제55조제1항제2호의 장치 변경

② 자동차안전기준에 관한 규칙 제11조(원동기 및 동력전달장치)

(3) 승인 조건

① 변경전보다 구조·장치의 성능 또는 안전도의 저하가 없을 것

② 차체 밖으로 돌출되지 않을 것

③ 적재함 후단에 와이어 로프의 흔들림을 방지할 수 있는 방지장치를 갖출 것

④ 윈치가 적재함에 설치된 경우 적재함과 윈치사이에 적재함과 동일한 격벽을 설치 할 것

(4) 승인 사례

- 엔진 기동력을 일부 인출하여 윈치를 설치하여 와이어를 끌어당기도록 만든 구조

그림 1-08 윈치

4 후차륜 복륜타이어 장착

(1) 변경 내용

- 적재 시 타이어 부하율을 저감시키고, 타이어펑크 시 위험을 감소시키고자 하는 경우

(2) 법령 근거

① 자동차관리법 제34조(자동차의 구조·장치의 변경)

② 자동차관리법 시행규칙 제55조제2호(구조변경승인대상 및 승인기준)

③ 자동차안전기준에 관한 규칙 제12조(주행장치)

(3) 승인 조건

① 변경전보다 차량총중량이 증가되지 않아야 함

② 차체외부로 돌출되지 않는 구조일 것

③ 자동차 구조·장치 변경에 관한 규정 [별표 2]의 제원 허용범위 이내 일 것

(4) 승인 사례

- 그림 1-09 참조

그림 1-09 차륜 복륜타이어 설치

03 동력전달장치 튜닝 실무

1 동력전달장치 튜닝항목 선정하기

(1) 플라이휠 Fly Wheel

플라이휠 튜닝은 차량의 원활한 급회전을 위해 경량 플라이휠 또는 밸런스 플라이휠로 튜닝을 한다. 경량 플라이휠로 교체했을 경우는 비탈길을 올라갈 경우 실속되는 경우도 있지만 엔진 전체적인 균형이 많이 변화되기 때문에 엔진 제동장치의 효율성이 높아지고 엔진 회전의 반응속도가 높아지기 때문에 일반 스포츠카의 경우 많이 사용되고 있다.

(A) 일반적인 플라이 휠   (B) 듀얼 패스 휠   (C) 드라이브 플레이트(A/T용)

그림 1-10 플라이휠

(2) 클러치 Clutch

클러치 튜닝은 출력이 높아 졌을 경우 순간적으로 연결하는 부분에서 클러치 디스크가 미끄러지는 현상을 일으켜 구동축으로 완전하게 전달되지 않는 현상이 일어나므로 이 점을 보강하기 위해서는 클러치 디스크의 마찰력이 높아지도록 강화 클러치로 튜닝을 한다. 하지만 강화 클러치의 경우 일반 클러치에 비해 스프링 강도와 클러치 강도가 높아 클러치를 밟을 때 많이 무겁게 느껴지며 반 클러치를 사용하는 경우 운전자는 빨리 피로를 느낄 수 있다.

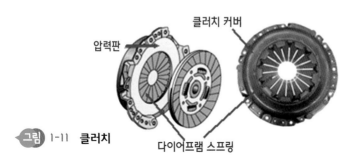 

압력판   클러치 커버

그림 1-11 클러치

다이어프램 스프링

(3) 변속기

변속기의 튜닝은 수동변속기에서 자동변속기 바꾸는 경우와 자동변속기에서 수동변속기 바꾸는 경우가 있을 수 있고 세미오토를 수동변속기로 바꾸거나 동력 인출장치 (PTO)를 설치 할 경우도 있다.

그림 1-12 동력인출장치

(4) 액셀러레이터 페달 Pedal

페달은 액셀러레이터, 클러치, 제동장치 페달의 보조발판으로 튜닝 페달을 장착함으로써 페달의 폭을 넓히고 페달과 페달의 간격을 좁혀 발의 이동거리를 줄여 신속한 조작이 가능하게 된다. 단, 주의 점으로는 간격이 과하게 좁으면 페달을 밟을 때 동시에 밟히는 경우도 있기 때문에 주의해야 한다는 점을 사용자에게 설명 하여야 한다.

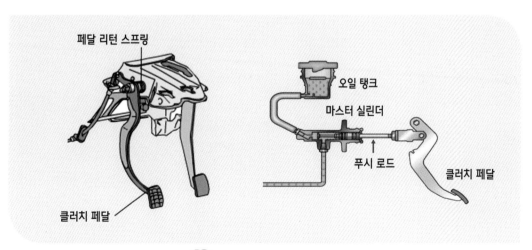

그림 1-13 페달 튜닝항목 선정하기

(5) 차동장치 Differential

차동장치의 역할은 차량이 선회할 경우 안쪽의 타이어 회전보다 바깥쪽의 타이어를 회전 반경의 길이만큼 회전시켜 차량의 선회를 원활하게 하는 기능을 한다. 예를 들면 왼쪽으로 회전 시 왼쪽 타이어의 접지저항이 커지며, 반면에 오른쪽 타이어 측이 왼쪽 타이어보다 저항이 작기 때문에 왼쪽 타이어보다 많은 회전을 하게 되는 원리이다.

이때 코너링의 속도가 높아지면 차량 자체가 원심력으로 인해 밖으로 나가려는 힘이 생기게 되어 왼쪽 타이어의 저항보다 오른쪽 타이어의 저항이 커지므로 지금까지 전달해 왔던 것들이 역으로 움직여 코너링이 수월하지 않기 때문에 언더스티어 현상이 일어나 선회가 안 되는 경우가 있으며 이때 노면이 나쁘거나 원심력이 커져서 타이어가 노면에 접지하지 않았을 경우에는 저항이 작은 쪽으로 이동해 공회전하는 경우가 발생해 오른쪽 타이어에 힘이 전달되지 않는 현상이 발생하게 된다. 이것을 방지하기 위해 동력이 좌우 균일하게 전달되도록 함으로써 운전자가 원하는 라인에 최대한 가까운 코너링을 만들 수 있는 차동제한 장치 LSDLimited Slip Differential를 장착하는 것이다. 주의할 것은 일반 차동장치와 달리 오일 교환과 정기적인 유지보수가 필요하다는 점을 사용자에게 설명 하여야 한다.

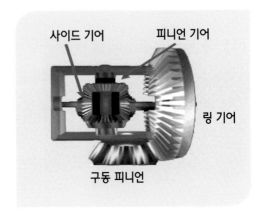

사이드 기어   피니언 기어

링 기어

구동 피니언

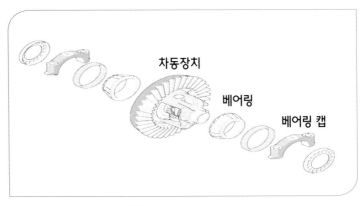

차동장치

베어링

베어링 캡

그림 1-14 차동장치

(6) 타이어

자동차에서 어떤 타이어를 사용하느냐에 따라서 운전 시의 안정감이나 승차감이 달라지며 특히, 차량 선회 시에 코너링의 느낌이 확연하게 달라지는 것이다. 타이어 폭이 같고 편평비가 높은 타이어는 승차감이 좋고 편평비가 낮은 타이어는 코너링의 안정감이 생긴다. 그리고 각 타이어 제조업체에 따라서 타이어의 고무재질과 구조에 여러 사양이 존재하므로 운전 스타일에 맞는 타이어를 선택하는 것이 중요하다.

편평비가 낮은 타이어를 선택할 경우 타이어의 외주는 동일하고 휠의 크기를 높이는 것이 일반적인 휠 사이즈업이다. 또한, 휠의 경량화와 제동장치의 열이 밖으로 수월하게 나갈 수 있도록 일반 휠에서 알루미늄 휠 등으로 튜닝을 하는 경우가 많다. 앞 타이어는 스티어링이 좌우로 움직이기 때문에 넓은 타이어를 사용할 경우 여러 부분들이 타이어에 접촉해 타이어가 파손될 수 있다는 점을 사용자에게 설명 하여야 한다.

시리즈 (편평비) = $\dfrac{단면높이(H)}{단면폭(W)} \times 100$

그림 1-15 **타이어 튜닝항목 선정하기**

휠 스페이서를 사용해 전체적인 차폭을 넓히는 방법이 있다. 1mm~20mm 정도까지 폭을 조절할 수 있다. 하지만 스페이서를 넣으면 휠을 고정하는 볼트 너트의 조임 부분이 짧아지기 때문에 주행 중 조임이 풀리는 경우가 있으므로 토크렌치를 사용해 정기적인 점검이 필요하다. 또한 과하게 차폭을 넓히면 서스펜션이 위로 올라갈 때 보디에 접촉해 타이어에 손상을 입힐 수 있으므로 주의해야 한다.

그리고 타이어 안에 들어 가 있는 공기는 수분이 많기 때문에 차량이 주행하면서 타이어 안의 수분이 팽창해 공기압이 올라가게 된다. 그래서 계절에 따라 공기압의 차이가 클 수도 있다. 따라서 질소를 사용할 경우 질소 안에는 일반 공기보다 수분이 적기 때문에 열팽창이 적어 일정한 공기압을 유지할 수 있다.

그림 1-16 타이어 튜닝항목 선정하기

2 튜닝 제품제작 계획서 작성하기

사용자의 요청에 따라 동력전달장치 튜닝 제품을 제작할 때 필요한 내용을 상세히 기록한다. 예를 들어, 제작 일정 및 내용, 소요된 재료, 투입된 단가, 제작방법, 제작 장소, 재료 구입처, 제품을 제작할 때 어떠한 목적과 성능측정 내용 등이다.

(1) 개요

양식에 따라 기입하며 특허관련정보의 경우 본 과제 진행이 자사의 특허 내용과 연관이 있을 경우에만 기입한다.

(2) 제품 제작의 필요성

객관적 자료를 근거로 제품에 대한 개발 필요성을 타당성 있게 제시한다.

(3) 제품의 용도 및 특징

제품의 사용처, 사용방법, 용도 등 제품의 효용성을 자세히 기재한다.

표 튜닝 계획서

업체명		대표자	
제품명			
제작내용 (간략하게)	설계□　해석□　역설계□　산업디자인□　시제품제작□ 시작금형제작□　기타□ (　　　　　　　)		
제작비용	원	총비용	원
특허관련정보(특허, 실용신안 등)			
건　명			
권리구분	□ 특허　□ 실용신안　□ 의장　□ 기타(　　　　　　　) − 특허 명: − 등록/출원번호 :		
권리자 성 명		사업자등록번호 (주민등록번호)	
권리자 주 소			
첨부자료	(* 시제품 관련도면 및 사진이 있을시 첨부)		

(4) 개발제품의 동향

기술동향, 시장동향, 경쟁력 등에 관한 국내외 현황 기재한다.

(5) 기대효과

제품제작에 따른 기대효과(제품 이미지 개선, 비용절감, 매출상승 등의 예상 성과를 구체적이고 객관적인 수치로 표시)를 기입하고 내용이 다량일 경우 별지를 사용한다.

(6) 제품 제작내용

양식에 맞추어 기입하되 내용이 다량일 경우 별지를 사용하며 제작에 도움이 되는 모든 사항을 자세히 기재 또는 첨부한다.

표 제품 제작내용

제작 목표	
제품 범위	■ 현재까지의 개발상황
	■ 요구사항
	■ 제작시 주의사항
제품 크기	가로 : mm , 세로 : mm , 높이 : mm

(7) 소요비용 산출

표 소요비용 산출

구분(항목)	산출내역	금액(원)
합 계		

(8) 제품 추진일정

추진일정은 **진도점검(중간점검)** 시 사업 진척을 파악하는 자료로 활용되므로 가급적 자세하게 작성한다.

표 제품 추진일정

연번	추 진 내 용	추진일정		기간
		시작일	종료일	

❸ 튜닝 제품 구조 변경 사례

① **변속기(수동 ↔ 자동) 변경 :** 변속기(수동 ↔ 자동)구조 변경 내용, 법령 근거, 승인 조건, 필요 서류부분을 상세히 기록한다.

② **동력인출장치(PTO)설치, 트렉터 공기압축기 설치 :** 동력인출장치(PTO)설치, 트렉터 공기압축기 설치에 대하여 변경 내용, 법령 근거, 승인 조건, 필요 서류부분을 상세히 기록한다.

③ **윈치 설치 :** 윈치 설치에 대하여 변경 내용, 법령 근거, 승인 조건, 필요 서류부분을 상세히 기록한다.

④ **후차륜 복륜타이어 설치 :** 후차륜 복륜타이어 설치에 대하여 변경 내용, 법령 근거, 승인 조건, 필요 서류부분을 상세히 기록한다.

❹ 동력전달장치 구조 · 장치 변경승인 신청하기

(1) 동력전달장치 구조 · 장치 변경승인 신청서 작성

신청서 양식에 맞추어 동력전달장치 구조·장치 변경승인 신청하기 위해 작성요령을 참고로 하여 동력전달장치 구조·장치 변경승인 신청서에 필요한 내용을 상세히 기록한다.

예를 들어, 차명 및 형식, 차대번호, 자동차등록번호, 원동기형식, 변경사항 등이다. 신청인성명, 주소, 생년월일(사업자번호), 차명 및 형식, 차대번호, 자동차등록번호, 원동기형식은 자동차등록증에 기재된 사항을 기입하고 변경사항은 변경하고자 하는 구조 및 장치의 변경 전·후의 사항을 기재한다.

또한 길이×너비×높이는 변경사항이 있을 때에 변경 전·후 수치(mm)를 기재하고 총중량은 변경사항이 있을 때에 변경 전·후의 수치(kg)를 기재한다.

(2) 자동차 구조 · 장치 변경작업 완료증명서 작성

소정의 양식에 맞추어 동력전달장치 구조장치 변경작업 완료증명서 작성요령을 참고로 하여 동력전달장치 구조장치 변경작업 완료증명서에 필요한 내용을 상세히 기록한다.

구조·장치 변경승인 신청서

자동차관리법 시행규칙 [별지 제33호서식] 〈개정 2014.2.28〉

접수번호	접수일자	발급일자	처리기간	10일

신청인	성명(법인명)		생년월일(사업자 또는 법인등록번호)	
	전화번호		휴대전화번호	
	주소			

자동차	차명	형식
	원동기형식	
	자동차등록번호	차대번호

변경사항	변경항목	변경 전	변경 후
	길이×너비×높이		
	차량총중량		
	장치(장치명칭기재)		
	자동차의 유형		
	승차정원 또는 최대적재량		

「자동차관리법」 제34조 및 같은 법 시행규칙 제56조제1항에 따라 위와 같이 신청합니다.

년   월   일장

신청인   (서명 또는 인)

교통안전공단이사장 귀하

첨부서류	1. 변경 전·후의 주요제원대비표(제원변경이 있는 경우에만 첨부합니다) 1부 2. 변경 전·후의 자동차외관도(외관변경이 있는 경우에만 첨부합니다) 1부 3. 변경하고자 하는 구조·장치의 설계도 1부 4. 삭제 〈2014.2.28〉	수수료 검사대행자가 정한 금액

유의사항

1. 교통안전공단에서 구조변경승인을 받은 자동차소유자는 반드시 자동차종합정비업체 또는 소형자동차 정비업체에서 변경작업을 시행하여야 하며, 승인받은 날부터 45일 이내에 교통안전공단 검사소에서 구조변경검사를 받아야 합니다.
2. 원동기 등 장치를 변경하고자 할 경우에는 장치란 변경항목에 변경하는 장치명을 적기 바랍니다.
3. 승인을 받지 아니하고 자동차의 구조·장치를 변경한 자와 구조 등이 변경된 자동차인 것을 알면서 이를 운행한 자는 1년 이하의 징역 또는 300만원 이하의 벌금에 처하게 됩니다(「자동차관리법」 제81 조제19호 및 제20호).

210mm×297mm(일반용지 60g/㎡)

구조·장치변경작업완료증명서

제   호

신청인	성명(명칭)		주민(사업자)등록번호	
	주소		(전화번호 :)	
자동차	차명및형식		제원관리번호	
	등록번호		차대번호	
업체명	성명(명칭)		주민(사업자)등록번호	
	주소		(전화번호 :)	
	승인번호		완료일	
변경 승인 내용	항목	변경전		변경후
작업 내용				크레인 신품

「자동차관리법」 제34조 및 같은 법 시행규칙 제56조제4항의 규정에 의하여 구조변경승인내용에 따라 구조변경작업을 완료하였음을 증명합니다.

년   월   일

자동차정비사업자   인

210㎜×297㎜(일반용지 60g/㎡)

04 동력전달장치 튜닝 검사

1 클러치 튜닝 검사하기

클러치 조립, 장착은 해당 차량의 정비지침서와 튜닝부품에 해당하는 사용설명서 및 정비지침서를 참고하여 조립 및 장착을 하고 차량에서 다음과 같은 현상이 없는지를 검사항목에 대한 작동 상태를 기록한다.

표 클러치(Clutch) 상태 검사

	검사 항목	작동 상태
1	클러치 미끄러짐 상태	
2	가속중 차량의 속도가 엔진속도와 일치하는가	
3	차량의 가속이 잘 되는가.	
4	언덕 주행 중에 출력부족 한가	
5	기어변속상태	
6	기어변속 시 기어에서 소음 발생 상태	
7	유압계통에 오일이 누설, 공기가 유입, 혹은 막힘 상태	
8	클러치 디스크 떨림 상태	
9	클러치 소음 상태	
10	클러치가 분리된 후 소음 상태 .	
11	클러치가 분리될 때 소음 상태 .	
12	클러치를 부분적으로 밟아 차량이 갑자기 주춤거릴 때 소음상태	
13	페달작동상태	
14	릴리스 포크 또는 링케이지가 걸림 상태	

2 변속기 검사하기

변속기 조립, 장착은 해당 차량의 정비지침서와 튜닝부품에 해당하는 사용설명서 및 정비지침서를 참고하여 조립 및 장착을 하고 차량에서 다음과 같은 현상이 없는지를 검사항목에 대한 작동 상태를 기록한다.

표 변속기 상태 검사

	검사 항목	작동 상태
1	소음·진동 상태	
2	오일 누유 상태	
3	변속 상태	
4	기어빠짐 상태	

3 차동장치 검사하기

차동장치|Differential 조립, 장착은 해당 차량의 정비지침서와 튜닝부품에 해당하는 사용설명서 및 정비지침서를 참고하여 조립 및 장착을 하고 차량에서 다음과 같은 현상이 없는지를 검사항목에 대한 작동 상태를 기록한다.

표 차동장치 상태 검사

	검사 항목	작동 상태
1	소음·진동 상태	
2	오일 누유 상태	
3	차량의 선회 검사	

4 타이어 검사하기

타이어 조립, 장착은 해당 차량의 정비지침서와 튜닝부품에 해당하는 사용설명서 및 정비지침서를 참고하여 조립 및 장착을 하고 차량에서 다음과 같은 현상이 없는지를 검사항목에 대한 작동 상태를 기록한다.

표 타이어 상태 검사

	검사 항목	작동 상태
1	소음·진동 상태	
2	스티어링 휠 작동 무거움	
3	연비 상태	
4	차량의 선회 상태	

CHAPTER ②

자동차
제동장치
튜닝

2
CHAPTER

제동장치
튜닝

01 **제동장치 튜닝 개론**

   자동차 관리법에 정의된 자동차 튜닝의 의미는 자동차의 구조, 장치의 일부를 변경하거나 자동차에 부착물을 추가하는 것을 말한다. [자동차 관리법 제2조 11항, 2014.1.7.]

   그러므로 제동장치 튜닝은 성능 향상을 목적으로 자동차의 구조, 장치 중 제동장치부분에 대한 일부를 변경하거나 부착물을 추가하는 것을 말하며 제동장치 튜닝 시에 이에 적합한 부분에 대한 튜닝이 사용자의 요청에 따라 선정을 협의하고 제동장치가 성능을 낼 수 있도록 구상하고 안전과 법규를 만족하는 제동장치 튜닝을 기획하는 것이 필수적이다. 제동장치 튜닝 기본원칙은 주 제동장치와 주차 제동장치를 각각 독립적으로 작용할 수 있어야 하며 주 제동장치는 모든 바퀴를 동시에 제동하는 구조이어야 하고 주 제동장치의 계통 중 하나의 계통에 고장이 발생하였을 때에는 그 고장에 의하여 영향을 받지 아니하는 주 제동장치의 다른 계통 등으로 자동차를 정지시킬 수 있고, 제동력을 단계적으로 조절할 수 있으며 계속적으로 제동될 수 있는 구조이어야 한다.

1 제동능력

① 최고속도가 매시 80km 이상이고 차량총중량이 차량중량의 1.2배 이하인 자동차의 각축의 제동력의 합이 차량총중량의 50% 이상이어야 한다.

② 최고속도가 매시 80km 미만이고 차량총중량이 차량중량의 1.5배 이하인 자동차의 각축의 제동력의 합이 차량총중량의 40% 이상이어야 한다.

2 제동장치 튜닝 항목

제동장치 튜닝은 차량의 속도가 빨라짐에 따라 운전자의 안전을 지키기 위해 제동장치는 지속적으로 발전되어 왔으며 사용자의 요청에 따라 제동장치 튜닝부품도 같이 발전 하고 있다. 이를 반영한 제동장치 튜닝항목으로는 **디스크 및 패드**Disk & Pad, **캘리퍼**Caliper, **제동장치 오일**Brake Oil, **제동장치 라인**Brake Line 등이 있다.

(1) 디스크 및 패드 Brake Disk, Brake Pad

디스크 및 패드는 자동차에서 제동을 할 때 디스크와 디스크 패드가 마찰을 일으켜 자동차를 서게 하는 역할을 하며, 디스크는 캘리퍼와 디스크, 패드로써 제동하는데 1개의 캘리퍼에 피스톤이 1개 또는 2개인 것으로 안쪽에 1개 또는 2개의 피스톤이 장착되어 제동 시 반대편의 부분을 슬라이드 시켜 좌우의 패드를 눌러서 정지하는 것이 일반적이다.

그림 2-01 **디스크 및 패드**

(2) 캘리퍼 Caliper

캘리퍼는 브레이크 라인을 통해 생성된 제동장치 오일 유압으로 실린더를 통하여 패드를 눌러줌으로써 디스크와 패드의 마찰로 차량이 서게 만들어 주는 역할을 한다.

그림 2-02 **캘리퍼**

(3) 브레이크 오일 Brake Oil

브레이크 오일은 운전자가 브레이크 페달을 밟으면 브레이크 오일 라인에 압력이 형성되고, 이 유압을 이용하여 제동장치가 작동하는 역할을 한다. 브레이크 오일은 브레이크 패드와 디스크에 고온의 마찰열이 발생할 때 오일에 포함된 수분이 끓게 되고, 브레이크 라인에 수증기 기포가 만들어진다. 이럴 경우 운전자가 제동장치 페달을 밟아도 충분한 제동이 이루어지지 않기 때문에 제동장치 오일을 적절한 시기에 교체하거나 성능이 좋은 제동장치 오일로 교체한다.

그림 2-03 브레이크 오일

(4) 브레이크 라인 Brake Line

일반적인 브레이크 라인(차체부터 캘리퍼까지)의 재질은 고무 재질로 되어 있다. 유압으로 제동장치를 제어하기 때문에 제동 시에 압력이 가해졌을 경우 팽창하므로 팽창을 방지함으로써 제동장치 제동효율을 높이기 위해 이 부분을 팽창이 방지되는 브레이크 라인으로 튜닝을 하게 된다.

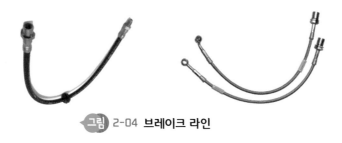

그림 2-04 브레이크 라인

02 제동장치 튜닝 장착

1 디스크 제동장치(드럼→디스크) 변경

(1) 변경 내용

① 드럼 제동장치에서 디스크 제동장치로 변경하는 경우

② 캘리퍼 실린더 개수가 변경되는 경우

(2) 법령 근거

① 자동차관리법 제34조(자동차의 구조·장치의 변경) 같은 법 시행규칙 제55조(구조·장치의 변경승인대상 및 승인기준)제1항제2호의 장치 변경

② 자동차안전기준에 관한 규칙 제15조(제동장치)

(3) 승인 조건

① 주 제동장치에는 라이닝 등의 마모를 자동으로 조정할 수 있는 장치를 갖출 것. 다만, 차량총중량이 3.5톤을 초과하는 화물자동차 및 특수자동차로서 모든 바퀴로 구동할 수 있는 자동차의 주 제동장치와 차량총중량이 3.5톤 이하인 화물자동차 및 특수자동차의 후축의 주 제동장치의 경우에는 그러하지 아니함

② 주 제동장치의 라이닝 마모상태를 운전자가 확인할 수 있도록 경고장치(경고음 또는 황색경고등을 말한다)를 설치하거나 자동차의 외부에서 육안으로 확인할 수 있는 구조일 것. 다만, 승용자동차 및 경형승합자동차와 차량총중량이 3.5톤 이하인 화물자동차 및 특수자동차는 바퀴를 탈거하여 확인하는 구조일 것

(4) 승인 사례

● 드럼 제동장치 ↔ 디스크 제동장치

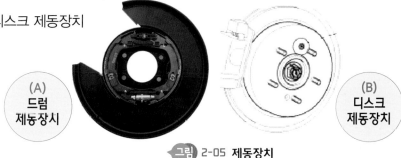

(A) 드럼 제동장시

(B) 디스크 제동장치

그림 2-05 제동장치

03 제동장치 튜닝 시험

1 디스크 및 패드 조립, 장착 및 검사

디스크 및 패드Disk & Pad 조립, 장착은 해당 차량의 정비지침서와 튜닝부품에 해당하는 사용설명서 및 정비지침서를 참고하여 조립 및 장착을 하고 차량에서 다음과 같은 현상이 없는지를 검사한다.

① 브레이크 작동 상태

② 디스크 떨림 상태

③ 브레이크 소음 상태

④ 브레이크 작동 시 소음 상태

⑤ 브레이크 페달 작동 상태

⑥ 유압계통에 오일이 누설, 공기가 유입, 혹은 막힘 상태

2 캘리퍼 조립, 장착 및 검사

캘리퍼Caliper 조립, 장착은 해당 차량의 정비지침서와 튜닝부품에 해당하는 사용설명서 및 정비지침서를 참고하여 조립 및 장착을 하고 차량에서 다음과 같은 현상이 없는지를 검사한다.

① 브레이크 작동 상태

② 디스크 떨림 상태

③ 브레이크 소음 상태

④ 브레이크 작동 시 소음 상태

⑤ 브레이크 페달 작동상태

⑥ 유압계통에 오일이 누설, 공기가 유입, 혹은 막힘 상태

3 브레이크 오일 조립, 장착 및 검사

브레이크 오일Brake Oil 조립, 장착은 해당 차량의 정비지침서와 튜닝부품에 해당하는 사용설명서 및 정비지침서를 참고하여 조립 및 장착을 하고 차량에서 다음과 같은 현상이 없는지를 검사한다.

① 브레이크 작동 상태

② 유압계통에 오일이 누설, 공기가 유입, 혹은 막힘 상태

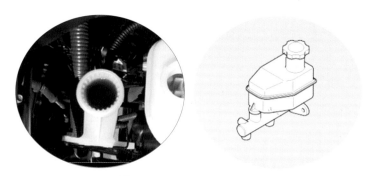

그림 2-06 브레이크 오일 검사

4 브레이크 라인 조립, 장착 및 검사

브레이크 라인Brake Line 조립, 장착은 해당 차량의 정비지침서와 튜닝부품에 해당하는 사용설명서 및 정비지침서를 참고하여 조립 및 장착을 하고 차량에서 다음과 같은 현상이 없는지를 검사한다.

① 브레이크 작동 상태

② 유압계통에 오일이 누설, 공기가 유입, 혹은 막힘 상태

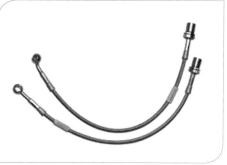

그림 2-07 브레이크 라인 검사

04 제동장치 튜닝 실무

1 제동장치 튜닝 항목 선정하기

(1) 디스크 및 패드

디스크는 캘리퍼와 디스크, 패드로서 제동하는데 1개의 캘리퍼에 피스톤이 1개 또는 2개인 것으로 안쪽에 1개 또는 2개의 피스톤이 장착되어 제동 시 반대편의 부분을 슬라이드 시켜 좌우의 패드를 눌러서 정지하는 것이 일반적이다.

하지만 디스크 및 패드 튜닝은 튜닝부품으로 교체함으로써 차량의 제동성능을 향상시킬 수 있으며 대용량 캘리퍼로 교체할 경우 디스크, 패드 치수가 캘리퍼의 크기를 기준으로 결정되기 때문에 캘리퍼 교체 시에는 디스크, 패드도 교체해야 한다. 또한 제동장치 패드 재질에 따라 제동의 제

그림 2-08 디스크 및 패드

어성, 초기 제동성 등이 다르므로 차에 맞는 제동장치 패드를 선택해야 한다.

(2) 캘리퍼

캘리퍼는 브레이크 라인을 통해 생성된 제동장치 오일 유압으로 실린더를 통하여 패드를 눌러줌으로써 디스크와 패드의 마찰로 차량이 서게 만들어 주는 역할을 한다. 캘리퍼 튜닝은 순정 캘리퍼의 용량보다 큰 용량으로 교체하는 경우가 많으며 교체 시에는 너클에 고정된 원래 캘리퍼를 튜닝제품으로 교체하는 것이다. 단 기존 제품에 비해 전체적인 크기가 커지므로 너클과 캘리퍼를 고정하기 위한 부품이 필요하다.

그림 2-09 캘리퍼

그리고 캘리퍼의 용량이 과하게 커지면 ECU안에서 ABS작동수치가 낮아질 수도 있어 긴급 제동 시 ABS가 작동하지 않는 경우도 발생하며, 경우에 따라서는 차량에 이상신호를 표시하는 램프가 켜질 수도 있다.

(3) 브레이크 오일

브레이크 오일은 브레이크 패드와 디스크에 고온의 마찰열이 발생할 때 오일에 포함된 수분이 끓게 되고, 브레이크 라인에 수증기 기포가 만들어진다. 이럴 경우 운전자가 제동장치 페달을 밟아도 충분한 제동이 이루어지지 않기 때문에 브레이크 오일을 적절한 시기에 교체하거나 성능이 좋은 브레이크 오일로 교체하는 것이다. 일반차량의 브레이크 오일 교체 시기는 제조사에 따라 차이가 있지만 주행거리 3만~4만km마다 교체를 권장하고 있다.

그림 2-10 브레이크 오일

(4) 브레이크 라인

유압으로 제동장치를 제어하기 때문에 제동 시에 압력이 가해졌을 경우 팽창하므로 팽창을 방지함으로써 제동장치 효율을 높일 수 있으므로 이 부분을 팽창이 방지되는 브레이크 라인으로 튜닝을 한다.

그림 2-11 브레이크 라인

2 제동장치 튜닝 제품 제작계획서 작성하기

사용자의 요청에 따라 제동장치 튜닝 제품을 제작할 때 필요한 내용을 상세히 기록한다.

3 제동장치 구조 · 장치 변경승인 신청하기

제동장치 구조·장치 변경승인 신청서 양식이나 작성방법은 동력전달장치의 경우와 유사하다.

4 **제동장치 구조 · 장치변경작업 완료증명서 작성하기**

제동장치 구조·장치 변경작업 완료증명서 양식이나 작성방법은 동력전달장치의 경우
와 유사하다.

05 제동장치 튜닝 검사

1 디스크 및 패드 검사하기

디스크 및 패드 조립, 장착은 해당 차량의 정비지침서와 튜닝부품에 해당하는 사용설
명서 및 정비지침서를 참고하여 조립 및 장착을 하고 차량에서 다음과 같은 현상이 없
는지를 묻는 검사항목에 대한 작동 상태를 기록한다.

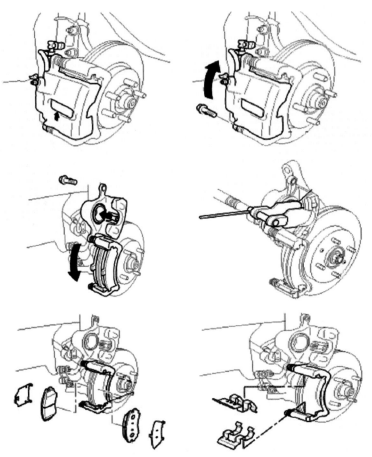

그림 2-12 캘리퍼 장착 및 검사하기

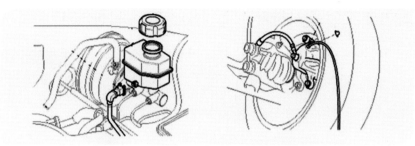

그림 2-13 캘리퍼 장착 및 검사하기(에어 빼기)

표 디스크 및 패드(Disk & Pad)상태 검사

	검사 항목	작동 상태
1	브레이크 작동 상태	
2	디스크 떨림 상태	
3	브레이크 소음 상태	
4	브레이크 작동 시 소음 상태	
5	브레이크 페달 작동 상태	
6	유압계통에 오일이 누설, 공기가 유입, 혹은 막힘 상태	

2 캘리퍼 검사하기

캘리퍼Caliper 조립, 장착은 해당 차량의 정비지침서와 튜닝부품에 해당하는 사용설명서 및 정비지침서를 참고하여 조립 및 장착을 하고 차량에서 다음과 같은 현상이 없는지를 묻는 검사항목에 대한 작동 상태를 기록한다.

표 캘리퍼(Caliper) 상태 검사

	검사 항목	작동 상태
1	브레이크 작동 상태	
2	디스크 떨림 상태	
3	브레이크 소음 상태	
4	브레이크 작동 시 소음 상태	
5	브레이크 페날 직동 상대	
6	유압계통에 오일이 누설, 공기가 유입, 혹은 막힘 상태	

3 브레이크 오일 검사하기

브레이크 오일Brake Oil조립, 장착은 해당 차량의 정비지침서와 튜닝부품에 해당하는 사용설명서 및 정비지침서를 참고하여 조립 및 장착을 하고 차량에서 다음과 같은 현상이 없는지를 묻는 검사항목에 대한 작동 상태를 기록한다.

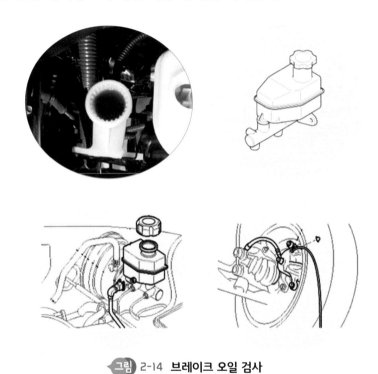

그림 2-14 브레이크 오일 검사

표 브레이크 오일(Brake Oil) 상태 검사

	검사 항목	작동 상태
1	브레이크 작동 상태	
2	유압계통에 오일이 누설, 공기가 유입, 혹은 막힘 상태	

❹ 브레이크 라인 검사하기

브레이크 라인Brake Line조립, 장착은 해당 차량의 정비지침서와 튜닝부품에 해당하는 사용설명서 및 정비지침서를 참고하여 조립 및 장착을 하고 차량에서 다음과 같은 현상이 없는지를 묻는 검사항목에 대한 작동 상태를 기록한다.

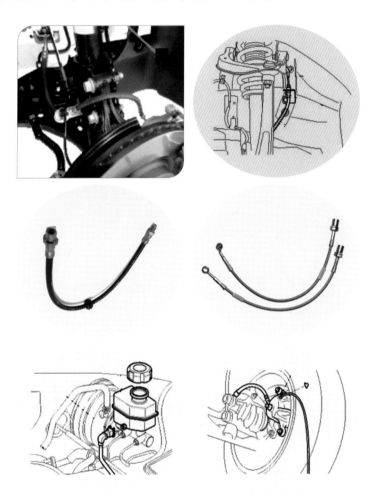

그림 2-15 브레이크 라인 조립, 장착 및 검사하기

표 브레이크 라인(Brake Line) 상태 검사

	검사 항목	작동 상태
1	브레이크 작동 상태	
2	유압계통에 오일이 누설, 공기가 유입, 혹은 막힘 상태	

CHAPTER ③

자동차
현가장치
튜닝

3 CHAPTER 현가장치 튜닝

01 현가장치 튜닝 개론

1 현가장치의 분류

자동차 **현가장치**suspension는 다음과 같이 분류된다.

(1) 일체 차축 현가 방식

일체로 된 차축에 좌·우 바퀴가 설치되며, 차축은 스프링을 거쳐 차체(또는 프레임)에 설치된 형식이다. 일체 차축 현가 방식의 특징은 다음과 같다.

① 부품 수가 적어 구조가 간단하다.

② 선회할 때 차체의 기울기가 적다.

③ 스프링 밑 질량이 커 승차감이 불량하다.

④ 앞바퀴에 시미 발생이 쉽다.

⑤ 스프링 정수가 너무 적은 것은 사용하기 어렵다.

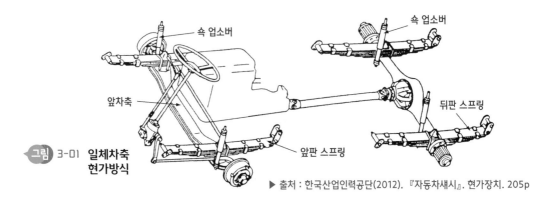

그림 3-01 일체차축 현가방식

▶ 출처 : 한국산업인력공단(2012). 『자동차섀시』. 현가장치. 205p

(2) 독립 차축 현가 방식

차축을 분할하여 양쪽 바퀴가 서로 관계없이 움직이도록 한 것이며, 승차감과 안정성이 향상되게 한 방식이다. 독립 차축 현가 방식의 특징은 다음과 같다.

① 스프링 밑 질량이 작아 승차감이 좋다.

② 바퀴의 시미 현상이 적으며, 로드 홀딩road holding이 우수하다.

③ 스프링 정수가 작은 것을 사용할 수 있다.

④ 구조가 복잡하므로 값이나 취급 및 정비 면에서 불리하다.

⑤ 볼 이음 부분이 많아 그 마멸에 의해 휠 얼라인먼트가 틀려지기 쉽다.

⑥ 바퀴의 상하 운동에 따라 윤거(tread;輪距)나 휠 얼라인먼트가 틀려지기 쉬워 타이어 마멸이 크다.

현재 일반적으로 사용되고 있는 독립 차축 현가 방식에는 **위시본 형과 맥퍼슨 형**이 있다.

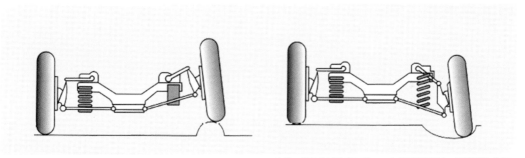

▶ 출처 : 한국산업인력공단(2012). 『자동차섀시』. 현가장치. 207p

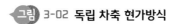 3-02 **독립 차축 현가방식**

① **위시본 형식** Wishbone type

이 형식에는 위·아래 컨트롤 암의 길이에 따라 평행 사변형 형식과 SLAShort Long Arm 형식이 있다. 위시본 형식은 스프링이 피로하거나 약해지면 바퀴의 윗부분이 안쪽으로 움직여 부의 캠버가 된다.

SLA 형식은 아래 컨트롤 암이 위 컨트롤 암보다 긴 것이며, 바퀴가 상하 운동을 하면 위 컨트롤 암은 작은 원호를 그리고, 아래 컨트롤 암은 큰 원호를 그리게 되어 컨트롤 암이 움직일 때마다 **캠버**camber가 변화하는 결점이 있다.

② **맥퍼슨 형식** Macpherson type

이 형식은 조향너클과 일체로 되어 있으며, 속 업소버가 내부에 들어 있는 **스트러트**(기둥)strut 및 볼 이음, 컨트롤 암, 스프링으로 구성되어 있다. 스트러트 위쪽에는 현가 지지를 통하여 차체에 설치되며, 현가 지지에는 **스러스트 베어링**thrust bearing이 들어 있어 스트러트가 자유롭게 회전할 수 있다. 그리고 아래쪽에는 볼 이음을 통하여 현가 암에 설치되어 있다. 코일 스프링을 스트러트와 스프링 시트 사이에 설치하며, 스프링 시트는 현가 지지의 스러스트 베어링과 접촉되어 있다. 따라서 현가 지지를 통하여 차체 중량을 지지하고 조향할 때에는 조향 너클과 함께 스트러트가 회전한다. 이 형식의 특징은 구조가 간단해 마멸되거나 손상되는 부분이 적으며 정비 작업이 쉽다. 스프링 밑 질량이 작아 로드 홀딩이 우수하다. 엔진 실의 유효 체적을 크게 할 수 있다.

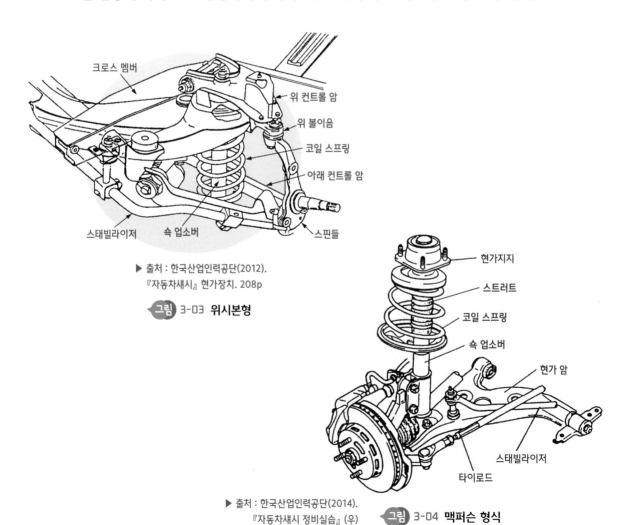

▶ 출처 : 한국산업인력공단(2012).
『자동차섀시』 현가장치. 208p

그림 3-03 **위시본형**

▶ 출처 : 한국산업인력공단(2014).
『자동차섀시 정비실습』 (우)

그림 3-04 **맥퍼슨 형식**

❷ 현가장치의 구성

(1) 스태빌라이저 Stabilizer

원심력에 의해 스프링은 주행 선회 중 자연스럽게 압력을 받게 된다. 이는 차대의 기울기로 연결되어 차량은 선회 중에 기울기가 생기게 되며, 차대 전체에 하중이 비스듬한 상태로 가해진다. 이때 독립 현가장치의 경우 차대의 자체적 균형성이 어긋나는 것을 제어하기 힘들기 때문에 별도의 토션 바를 이용해 스태빌라이저를 부착하게 된다.

스태빌라이저의 양 끝은 로워 암에 장착되게 된다. 중앙부는 프레임과 연결되며 외부적으로 바퀴의 상하운동 차이로 인해 차대가 뒤틀리는 진동을 받게 될 때, 차량은 스태빌라이저의 뒤틀림으로 인해 완충작용이 이루어져 기울기가 감소된다.

(2) 현가 스프링 Suspension spring

스프링은 차체와 바퀴 사이에 설치되어 주행 중 노면으로부터 전달되는 충격과 진동을 흡수하고 차체에 충격과 진동이 전달되지 않도록 한다. 스프링의 종류로는 판스프링, 코일스프링, 토션바스프링, 고무스프링, 공기스프링 등이 있다.

① 겹친 판 스프링 (리프 스프링 leaf spring)

판 스프링은 띠 모양으로 성형된 스프링 강판을 구부려 여러 겹으로 포개놓은 것으로 메인 스프링의 양 끝단을 둥글게 만들고 핀을 끼울 수 있도록 되어 있다. 스프링 강을 적당히 구부린 띠 모양을 여러 장 겹치고, 센터 볼트로 중앙을 조인 형태를 말한다. 가장 위쪽 가장 긴 주 스프링 판의 끝은 스프링 아이를 두고 새클 핀을 통해 차체에 설치된 형태이다. 스프링 아이 중심 거리를 스팬이라고 부르며, 스프링 판이 작은 것일수록 끝부분 구부림을 크게 하는데 이를 **닙**이라고 한다.

판스프링에 닙을 두는 것은 스프링 판 사이 간극을 방지하기 위해서이다. 간극이 생기면 흙 및 모래가 유입되어 마모가 촉진되며 스프링이 변형될 때 가장 많은 마찰이 발생하므로 스프링 진동이 신속히 감쇠되게 된다. 판스프링을 차체에 장착하는 부위를 브래킷이나 행거라고 부르며, 주스프링 한쪽에만 설치하여 브래킷에 장착하는 것을 새클이라고 부른다.

새클은 판스프링 스팬 길이 변화를 가능케 하는 역할을 하며, 설치 방법에 따라서 압축 새클 또는 인장 새클로 구분한다. 부싱에 따라서는 고무부싱, 나사, 청동부싱 등으로 나뉜다. 통상 새클은 차량 뒤차축보다 더 뒤에 설치되며, 앞차 축에 판스프링을 사용하는 차량은 앞차축보다 더 앞쪽에 설치된다. 행거는 차체의 중앙에 모여 있게 되는데, 이것은 추진축 슬립이음이 제동 및 출발 시 과도 수축하는 것을 막아서 추진축을 보호하기 위해서이다.

대형차량에서는 1축에 2개의 판스프링을 사용해 완충작용을 하게 되는데 이를 2단 스프링이라고 부르며, 위쪽의 것은 보조 스프링이라고 부른다. 보조 스프링은 차량에 적재나 탑승자가 없을 경우에는 사용되지 않는다. 승용차의 경우 차축을 스프링의 중앙에 설치하지 않고 앞쪽으로 이동시켜 출발 및 제동 시에 스프링 이상 진동을 방지해 고속 주행 시 안전성을 향상시킨다. 판스프링 사용 시 스프링 자체의 강성에 의해 차축을 정위치에 위치할 수 있기 때문에 구조가 간단하며, 판 사이 마찰에 의해 진동 억제 작용이 크다. 또한 내구성이 좋다는 장점이 있지만 판 사이 마찰로 인해 작은 진동 흡수는 어렵다는 단점이 있다.

② 코일 스프링 coil spring

코일 스프링은 스프링 강을 코일 모양으로 제작한 것이며, 외력(外力)에 의해 변형되는 경우 판스프링이 구부러지면서 응력을 받는 것에 반해 코일 스프링은 코일 1개 단면마다 비틀림에 의해 응력을 받는다. 미세한 진동에도 민감하게 작용하므로 현재의 승용차에서는 앞·뒤 차축에 모두 사용되고 있다. 코일 스프링의 특징은 단위 중량 당 에너지 흡수율이 크다. 제작비가 적고, 스프링 작용이 유연하다. 판간 마찰이 없어 진동 감쇄 작용을 하지 못한다. 횡방향 작용력에 대한 저항력이 없어 차축에 설치할 때 쇽 업소버나 링크 기구가 필요해 구조가 복잡해진다.

③ 토션바 스프링 torsion-bar spring

토션바 스프링은 막대를 비틀었을 때 탄성(彈性)에 의해 본래의 위치로 복원하려는 성질을 이용한 스프링 강의 막대이다.

이 스프링은 단위 중량 당 에너지 흡수율이 매우 크며 가볍고 구조가 간단하다. 스프링의 힘은 막대(bar)의 길이와 단면적으로 정해지며 진동의 감쇄 작용이 없어 쇽 업소버를 병용하여야 하며 좌·우의 것이 구분되어 있다.

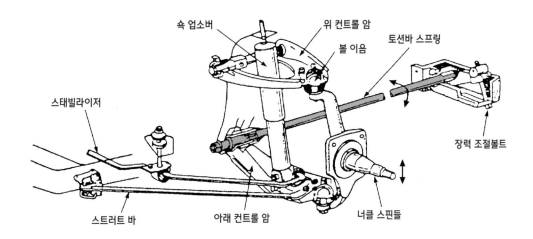

스태빌라이저

숔 업소버

위 컨트롤 암

볼 이음

토션바 스프링

장력 조절볼트

너클 스핀들

스트러트 바

아래 컨트롤 암

▶ 출처 : 편집부(2010).『오토섀시』미전사이언스. 현가장치. 160p

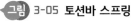 3-05 **토션바 스프링**

④ 고무 스프링 rubber spring

비교적 형상 제작이 자유롭고 작동 시 소음이 적다. 작동 시 내부 마찰력만으로도 충분한 충격 감소 효과가 있으며, 기름과 같은 보조적 매개체가 필요하지 않다. 하지만 하중이 큰 경우에는 완충능력이 모자라기 때문에 소형 차량에 주로 사용되며, 일반 스프링과 함께 부착되어 보조 현가장치로 활용된다.

⑤ 공기 스프링 air spring

공기압의 탄성작용을 이용한다. 보통 고압으로 수축된 공기는 반발력에 의해 대기압 수준으로 돌아가고자 하는데, 이러한 반발작용을 통해 밀봉된 실린더 내부 공기를 외부의 힘이 압축시키고 이때의 반발작용으로 부드러운 완충작용을 얻어내는 것이 공기 스프링이다.

⑥ 숔 업소버 Shock absorber

숔 업소버는 노면에서 발생한 스프링의 진동을 흡수하여 승차감을 향상시키고 동시에 스프링의 피로를 감소시키기 위해 설치하는 기구이다. 숔 업소버는 스프링이 압축될 때는 급격히 압축되고 늘어날 때는 천천히 작용함으로써 스프링의 상하 운동에너지를 열에너지로 변환시키는 일을 한다.

가) 텔레스코핑형 telescoping type

이 형식은 안내를 겸한 가늘고 긴 실린더의 조합으로 되어 있으며, 내부에는 차축과 연결되는 실린더와 차체에 연결되는 피스톤 로드가 있으며, 피스톤의 상하 실린더에는 오일이 가득 채워져 있다. 피스톤에는 오일이 통과하는 작은 구멍(오리피스)이 있고, 이 구멍에는 밸브가 설치되어 있다. 텔레스코핑형에는 단동식과 복동식이 있다. 각각의 특징을 설명하면 다음과 같다.

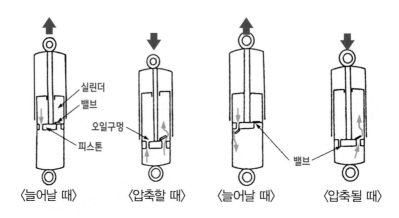

〈늘어날 때〉　〈압축할 때〉　〈늘어날 때〉　〈압축될 때〉

▶ 출처 : 한국산업인력공단(2012).『자동차섀시』현가장치. 228p

그림 3-06 **단동식과 복동식 쇽 업소버**

단동식의 경우는 스프링이 늘어날 때에는 통과하는 오일의 저항으로 진동을 조절하고, 스프링이 압축될 때에는 오일이 저항 없이 통과하도록 하여 차체에 충격을 주지 않으므로, 단동식은 사용환경이 좋지 못한 곳에서 유리하다. 또한 복동식은 스프링이 늘어날 때와 압축될 때 모두 저항이 발생되는 형식이며, 출발할 때 **노스 업** nose up이나 제동할 때 **노스 다운** nose down을 방지할 수 있다.

나) 레버형 lever type

이 형식은 링크와 레버를 사이에 두고 설치되며, 그 내부는 피스톤, 피스톤을 밀어주는 앵커 레버, 실린더 및 앵커 축으로 구성되어 있다.

작동은 압축되었던 스프링이 펴지기 시작하면 레버가 아래쪽으로 내려가며, 이 움직임으로 피스톤이 밀려지면서 실린더 내의 오일이 릴리스 밸브의 스프링에 대항하여 밸브를 거쳐 나가며, 이때 오일이 받은 유동저항으로 진동의 감쇠작용을 한다.

반대로 스프링이 압축되면 레버가 위쪽으로 상승한다. 이에 따라 피스톤이 리턴 스프링 장력으로 복귀하며, 동시에 입구 밸브가 열려 실린더 내에는 오일이 가득 채워진다.

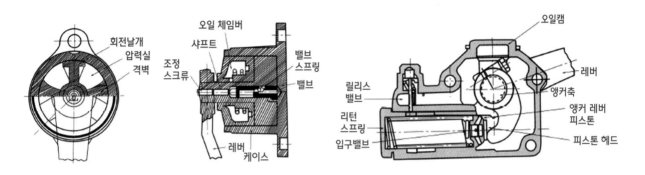

▶ 출처 : 한국산업인력공단(2012). 『자동차섀시』 현가장치. 230, 231p

그림 3-07 레버형 쇽 업소버의 구조

다) 드가르봉형 (가스 봉입 방식)

유압식의 일종이며 **프리 피스톤**free piston을 더 두고 있다. 프리 피스톤의 위쪽에는 오일이 들어 있고, 아래쪽에는 고압($30kgf/cm^2$)의 질소가스가 봉입되어 내부에 압력이 걸려 있고 1개의 실린더가 있다. 쇽 업소버가 압축될 때 오일이 **오일실**oil chamber A(피스톤 아래쪽)의 유압에 의해 피스톤에 설치된 밸브의 바깥둘레가 열려

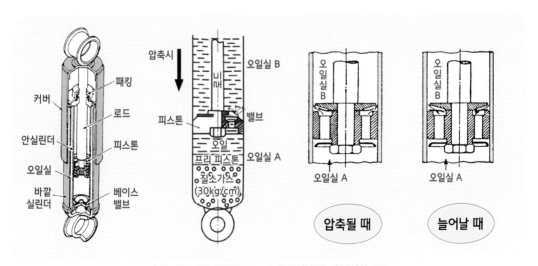

▶ 출처 : 한국산업인력공단(2012). 『자동차섀시』 현가장치. 229p

그림 3-08 드가르봉형 쇽 업소버의 구조

오일 실 B로 들어온다. 이때 밸브를 통과하는 오일의 유동 저항으로 인해 피스톤이 하강함에 따라 프리 피스톤도 가압되는 방식으로 작동된다.

쇽 업소버의 작동이 정지하면 프리 피스톤 아래쪽의 질소가스가 팽창하여 프리 피스톤을 밀어 올려 오일실 A의 오일에 압력을 가한다. 그리고 쇽 업소버가 늘어날 때에는 피스톤의 밸브는 바깥둘레를 지점으로 하여 오일실 B에서 A로 이동하지만 오일 실 A의 압력이 낮아지므로 프리 피스톤이 상승한다. 또 늘어남이 정지하면 프리 피스톤은 원위치로 복귀한다.

❸ 현가장치의 기능

(1) 현가장치의 기본적인 기능

현가장치란 차체에 대하여 차륜을 상하 이외의 방향으로 적절한 강성으로 지지하고, 상하방향은 스프링·감쇠기구로 지지하는 것이며 이 기본기구로는 아래와 같은 것을 들 수 있다.

① 차체, 승차인원, 적하물 등을 보호하기 위하여 노면의 요철 등으로 인해 차체로 입력되는 진동(vibration), 소리(noise) 그리고 불쾌감(harshness)을 억제한다.
② 차륜과 노면 사이에 발생하는 구동력·제동력·횡력 등 전후·좌우하중을 확실하게 차체로 전달하기 위하여 최상의 상태에서 타이어를 노면에 접지시켜, 목표하는 차량의 운동 상태를 가능하게 한다.

(2) 현가장치의 부수기능

위에서 말한 바와 같이 현가장치에는 유연함과 타이어의 정확한 위치정하기가 요구되는데 이들에게 영향을 미치는 주요한 인자로써 아래의 의사 스티어링 효과, 다이브 스쿼트를 들 수 있다.

① 액슬 스티어링

차체가 롤 할 때 차륜의 상하운동에 의하여 차체에 대한 타이어의 방향(이하 토각이라고 한다)이 달라지기 때문에 현가장치에 스티어링 효과가 발생하여 차량의 운동 성능에 영향을 미친다.

② 캠버의 변화에 의한 의사 스티어링 효과

인디펜던트식 현가장치 대부분은 차체의 롤에 따라 대지 캠버각이 달라지기 때문에 타이어에 발생하는 가로방향의 하중도 달라져서 의사 스티어링 효과를 일으킨다.

③ 트레드 변화에 의한 의사 스티어링 효과

인디펜던트식 현가장치 대부분은 차륜의 상하운동에 의하여 타이어의 접지점에 가로이동(트레드 변화 또는 스카프 변화라고 한다. 이하 트레드 변화라고 한다)이 일어난다. 이 트레드 변화에 따라 타이어에 의한 슬립각이 발생하여 횡력이 일어남으로써 차체의 방향 안정성을 혼란스럽게 하는 수가 있다.

④ 컴플라이언스 스티어·컴플라이언스 캠버

주행 중의 타이어 접지점에 걸리는 횡력, 전후력 등에 의하여 현가장치에 탄성변형이 일어나 토각, 캠버각이 달라지는 것이다. 일반적으로 위의 의사 스티어링 효과는 조종성 안정성을 향상시키도록 현가장치의 설계초기 단계부터 고려되고 있다.

⑤ 안티다이브·안티리프트

제동 시의 앞뒤하중이동에 의한 앞뒤현가장치의 스트로크에 의하여 차체가 앞으로 기우는 것을 다이브라고 하며 이것을 억제시키는 것을 안티다이브라 한다. 또 후륜이 뜨는 것을 리프트라 하고 이것을 억제하는 것을 안티리프트라고 한다. 이것은 차량의 측면 차륜 움직임의 순간중심위치에 따라 제어된다.

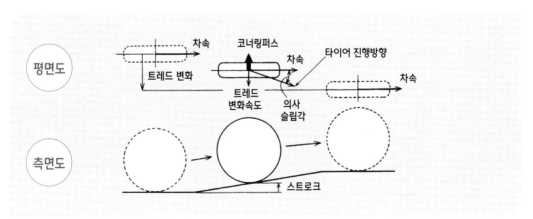

▶ 출처 : 편집부(1996). 『자동차공학기술대사전』. 과학기술 . 서스펜션, 액슬편. 441p

 3-09 트레드 변화

⑥ 안티스쿼트

가속할 때의 앞뒤하중이동에 따라 앞뒤의 현가장치가 스트로크해서 차체가 뒤로 기운다. 이것을 스쿼트라고 하며 이것을 억제하는 것을 안티스쿼트라고 한다. 이것도 다이브와 마찬가지로 차량 측면에서의 차륜의 움직임에서 순간중심위치에 따라 제어할 수 있다. 오토매틱 차에 있어서는 위와 같은 일에 더하여 브레이크의 작동 중에 시프트포지션을 뉴트럴에서 드라이브로 시프트 했을 때 차체가 뒤로 기우는 것(시프트 스쿼트)을 억제하는 것도 중요한 기능으로 삼고 있다. 여기에는 차량의 측면 차륜 움직임의 순간 중심과 휠 센터 사이의 거리를 크게 설정하는 것이 유효하다.

4 현가장치의 기본형식과 특징

일반적으로 현가장치는 좌우양륜이 하나의 차축으로 연결된 리지드 액슬(일체 차축)식과 좌우양륜이 독립해서 스트로크 할 수 있는 인디펜던트(독립 차축)식으로 대별된다.

(1) 리지드 액슬rigid axle식 현가장치

버스나 트럭 등 상용차의 전후륜 및 승용차의 후륜에 채용되고 있으며 특징을 정리하면, 구조가 단순하기 때문에 값이 싸고 신뢰성이 높고, 차륜의 상하운동에 의한 대지 얼라인먼트 변화가 작아서 타이어의 마모에 유리하며, 스프링의 하중량이 커서 승차감에 불리하고 좌우륜의 움직임이 연성되기 쉽고 또 횡진동을 일으키기 쉽다. 일반적으로 리지드액슬식은 다시 리프스프링식, 링크식 드·디온식, 토크튜브드라이브식의 4종으로 분류할 수 있다.

① 리프스프링 leaf spring 식

리지드액슬식 가운데에서는 특히 중적재 차량에 쓰이는 일이 많으며 좌우륜을 잇는 차축을 앞뒤 또는 좌우로 배치하거나 리프스프링으로 결합하는 방식이다. 리프스프링으로 차축의 전후좌우방향으로 자리매김하기 때문에 상하 스프링상수를 내리는 것은 일반적으로 곤란하다. 또한 판 사이의 마찰에 의한 상하 프랙션이 크기 때문에 승차감이 손상되기 쉽고 또 제동구동 토크로 인한 와인드업 진동을 일으키기 쉽다는 동의 결점이 있다.

프런트의 리프스프링을 차체의 앞뒤 방향으로 사용하면 핸들조종에 의한 타이어와 리프스프링의 간섭을 피하지 않으면 안 되기 때문에 스프링의 스팬이 비교적 좁게 된다. 그러므로 상하 스프링상수 나름으로는 롤 강성을 높게 잡을 수 없는 결점이 있다. 이에 스프링을 가로놓기로 하는 일도 있다. 또 판 사이의 마찰을 저감시키기 위하여 판 사이에 수지(인터리프) 등의 완충재를 배치하기도 하고 와인드업 진동을 억제하기 위하여 바이어스 마운트식 댐퍼, 비대칭스프링, 토크로드를 설치하기도 한다.

② 링크 link 식

주로 상용차의 후륜에 사용되고 있다. 과거에 승용차의 리어서스펜션으로 많이 쓰여 왔는데 현재에는 사용하는 일이 드물다. 링크 식은 리프식의 결점(와인드업 진동, 횡강성의 저하, 큰 프랙션)을 보완하기 위하여 리프스프링을 코일스프링으로 바꾸어 놓은 것이다. 코일스프링은 그 자체 상하 이외의 방향 차축을 받치는 기둥이 없기 때문에 복수의 링크를 추가한 차축에 자리매김을 하게 된다. 링크식의 특징을 다음과 같다.

● 차축의 자리매김을 링크로 하기 때문에 리프스프링식에 비하여 부드러운 스프링을 사용할 수 있고 또 코일스프링을 사용할 수 있기 때문에 프랙션을 줄일 수 있어서 승차감을 향상시킨다.

● 안티스쿼트·안티리프트지오메트리를 설정하기 쉽다. 또한 후륜에서는 데프의 머리끝 움직임을 줄일 수 있고 플로어를 낮게 할 수 있다.

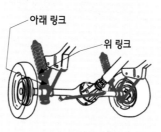

▶ 출처 : 한국산업인력공단(2012). 『자동차섀시』 현가장치. 215p

 그림 3-10 **5 링크식**    그림 3-11 **4 링크식**   그림 3-12 **3 링크식**

그림 3-10에서 보는 예에서는 2개의 로어링크, 2개의 어퍼링크, 하나의 라테럴로드로서 구성되어 있으며(5링크식), 제·구동력은 어퍼와 로어 링크가 담당하고 가로로 향하는 하중은 라테럴로드가 담당한다. **그림 3-11**은 위의 변형이며 어퍼링크를 八자형으로 해서 라테럴링크를 삭제한 예(4링크식)이며, **그림 3-12**는 어퍼링크를 하나로 한 예이다. 차축의 횡방향 자리매김을 더욱 정확하게 하기 위하여 라테럴로드를 2개의 링크(와트링크)로 바꾸어 놓은 예도 있다.

각 링크는 기본적으로 축력밖에 담당하지 않기 때문에 경량화 시키기 쉬운 이점이 있으나, 반면에 코일스프링은 통상 액슬케이싱 위에 레이아웃 되므로 트렁크 룸의 바닥면이 높아진다. 그래서 구태여 로어링크 위에 코일스프링을 배치하기도 한다.

③ 드·디온 de dion 식

좌우의 차륜은 하나의 차축으로(드·디온튜브) 연결되어 있는데 디퍼렌셜유니트는 직접 차체에 설치되는 형식이다. 특징은 스프링 하중 량이 리지드액슬식에 비하여 가볍고, 그에 따라 접지성이 좋고 프로펠러샤프트의 상하운동이 없기 때문에 플로어를 낮게 할 수 있으며 드라이브샤프트의 길이변화와 2분할이 필요하여 조인트가 4개소 많아지기 때문에 리지드식으로써는 값이 비싸진다.

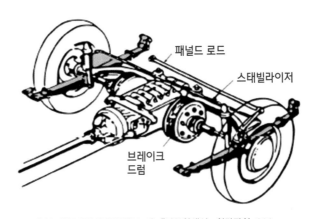

패널드 로드

스태빌라이저

브레이크
드럼

▶ 출처 : 한국산업인력공단(2012). 『자동차섀시』 현가장치. 214p

그림 3-13 드·디온식

④ 토크 튜브 드라이브 사프트 torque tube drive shift

디퍼렌셜 입력축 쪽을 튜브로 앞으로 늘려서 조인트로 차체에 설치하는 구조이다. 구동·제동력은 위에서 말한 튜브가 담당하고 라테럴로드로 횡력을 트레일 링크가 전후력을 분담한다. 이 경우 5링크식의 어퍼에 해당하는 링크는 필요 없게 되고 프로펠러샤프트의 상하운동이 없어지므로 뒷좌석 시트 바닥면을 낮출 수 있다는 이점이 생긴다.

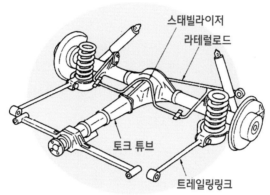

▶ 출처 : 한국산업인력공단(2012). 『자동차섀시』 현가장치. 215p

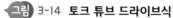 그림 3-14 토크 튜브 드라이브식

(2) 인디펜던트 independent 식 현가장치

좌우의 차륜이 각기 독립해서 상하 운동할 수 있는 구조로, 주로 승용차에 널리 채용되고 있으며 다음과 같은 장점으로는 좌우륜을 연결하는 차축이 없기 때문에 엔진의 위치나 트렁크플로어를 낮게 할 수 있고 차륜의 상하 운동 시 얼라인먼트 변화의 설정자유도가 크며 스프링 밑이 경량으로 접지성이 좋다. 이 방식은 다시 스윙암식, 위쉬본식, 스트러트식으로 구별될 수 있다.

① 스윙암 swing arm 식

좌우의 액슬은 하나의 A형 암으로 고정되며 이 A형 암의 다른 끝 2개소를 차체에 설치하여 차륜을 요동시키는 방식이다. 인디펜던트식 가운데에는 가장 구조가 간단하고 요동축의 선택 여하에 따라 차륜의 상하동 시 토각 캠버각 롤센터 높이의 변화 등을 조정할 수 있으나 서로 독립된 조정을 하는 것은 어렵다.

이 방식은 리딩암식, 트레일링암식, 스윙액슬식, 더블트레일링암식의 4종류로 세분할 수 있다.

② 리딩암 leading arm 식

요동축이 차륜의 뒤쪽에 배치되는 형식이다. 리딩암식에서는 브레이크토크에 따라 차체의 리프트를 일으키기 쉬우므로 위의 예에서는 브레이크를 인보드식으로 함으로써 이를 억제하여 승차감의 악화를 방지하고 있으며 부수효과로서 액슬 둘레의 레이아웃 자유도가 커진다는 점을 들 수 있다. 또한 차량에 있어서는 앞뒤의 현가장치로 현가스프링을 공용하고 있는 것(앞뒤 관련 현가)이 큰 특징이다.

③ 트레일링암 trailing arm 식

요동축이 차륜 앞쪽에 배치되는 것으로, 일반적으로 구조가 간단하며 스페이스절감을 위해서 소형차에 널리 쓰이고 있다. 이 방식은 요동축의 배치각도에 따라 또한 풀트레일링식, 세미트레일링식, 토션빔식으로 세분된다.

가) 풀트레일링식 : 요동축이 차체의 중심선에 대하여 직교하는 방식으로써 트레드변화, 대차체캠버, 토각의 변화는 없으나, 횡강성이 낮고 롤센터가 낮아지는 대지캠버가 차체의 롤 방향으로 붙기 때문에 코너링 한계가 낮아지는 등의 결점이 있다.

나) 세미트레일링식 : 풀트레일링식과 스윙액슬식의 중간적 방식으로, 요동축이 차체의 중심선에 대하여 사교하는 방식이며 승용차의 리어현가장치에 많이 쓰여왔다. 그러나 암의 요동축 각도를 바꿈으로써 트레드, 캠버, 토각, 롤센터 높이의 변화를 조정할 수 있으나 독립적으로 튜닝하는 것은 어렵다. 그래서 보조링크를 추가하여 횡력·전후력에 대한 컴플라이언스 스티어의 적성화나 롤센터의 높이 안티스쿼트의 독립제어를 꾀한 일도 있다.

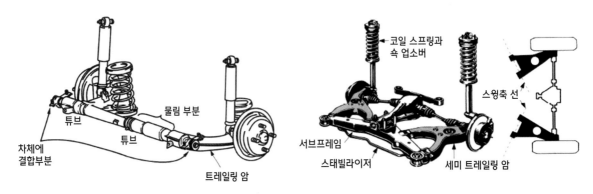

▶ 출처 : 한국산업인력공단(2012). 『자동차섀시』 현가장치. 212p

 3-15 풀트레일링식　　　그림 3-16 세미트레일링식

④ 토션 빔 torsion beam 식

좌우의 트레일링암을 크로스 빔이라고 하는 하나의 부재로 결합한 것으로, 차체의 롤에 의하여 현가장치 부재가 비틀려진다. 따라서 스태빌라이저의 효과도 있으나 적절한 롤 강성을 얻기 위하여 따로 스태빌라이저를 설치하는 일도 있다. 이 방식은 크로스 빔의 배치에 따라 다시 액슬빔식, 피보트 빔식, 거플드 빔식의 3종으로 세분할 수 있다.

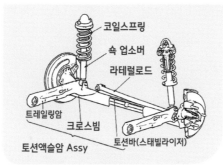

액슬 방식

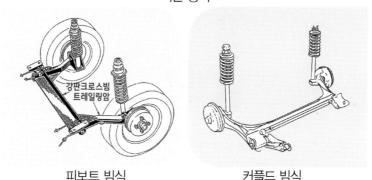

피보트 빔식　　　　커플드 빔식

▶ 출처 : 편집부(1996). 『자동차공학기술대사전』. 과학기술 . 서스펜션, 액슬편. 445p

그림 3-17 토션 빔식

액슬빔식에 있어서는 빔이 롤할 때 비틀림이 따르기 때문에 통상 개방단면으로 하며, 트레일링암은 위에서 말한 것에 더하여 브레이크토크까지도 분담하기 때문에 비틀리기 쉽고 면내력을 잡기 쉬운 평판으로 하는 일이 많다. 횡강성이 부족하기 때문에 크로스 빔에 라테럴로드가 부가된다.

피보트빔식은 평면도에서 ㄷ자형의 부재에 타이어가 설치되는 구조로 횡강성을 높이기 위하여 트레일링암의 굽힘 강성과 크로스 빔의 굽힘 강성, 양자의 결합강성을 높이는 것이 요구된다. 반대로 롤 할 때에는 크로스 빔이 비틀려지기 때문에 이들 두 조건을 만족시키기 위한 단면형상에 연구를 요한다.

커플드빔식은 액슬빔식과 피보트빔식의 중간적인 방식으로, **코펠렌켈 악제**라고도 한다. 이 방식은 바운스할 때의 움직임이 풀트레일링식과 같으나 롤할 때에는 세미트레일정식의 궤적을 쓰기 때문에 쌍방의 이점을 아울러 갖춘 형식이라고 할 수 있다.

⑤ 스윙액슬 swing axle 식

요동 축을 차체의 중심선에 대하여 평행하게 배치하는 것으로, 일반적으로 롤센터의 높이가 높고 따라서 롤도 작으나 가로방향 가속도가 커지면 재키업 현상을 일으키기 쉽고 리버트 스티어 특성을 보여주기 쉽다.

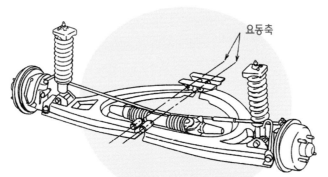

요동축

▶ 출처 : 편집부(1996). 『자동차공학기술대사전』. 과학기술 . 서스펜션, 액슬편. 446p

 그림 3-18 스윙 액슬식

⑥ 더블 트레일링암 double trailing arm 식

이 방식은 트레일링암식을 전륜에 썼을 때의 결점인 차륜 스트로크에 의한 캐스터각의 과대한 변화를 억제하기 위하여 트레일링암을 위아래에 배치한 것이다.

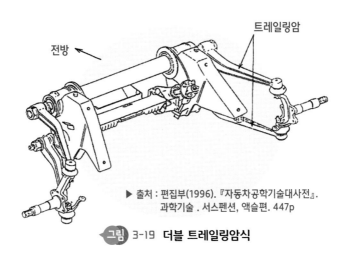

트레일링암

전방 ←

▶ 출처 : 편집부(1996). 『자동차공학기술대사전』.
과학기술 . 서스펜션, 액슬편. 447p

그림 3-19 더블 트레일링암식

⑦ 더블위쉬본 double wishbone 식

소형 상용차의 전륜, 스페셜리티, 스포츠계의 승용차에 널리 사용되고 있으며 고급화 고성능화에 따라 이 방식을 채용하는 차종이 증가하고 있다.

더블위쉬본식이란 본래 위아래 2개의 3각형 암과 하나의 링크로서 구성되는 형식을 말하는데, 현재에는 위아래 1쌍의 콘트롤암 또는 링크가 있고 캠버각의 변화 등을 비교적 독립해서 제어할 수 있는 형식을 더블위쉬본식이라고 한다. 따라서 이른바 멀티링크도 이에 포함된다. 아래에서 구별하는 2개의 3각형 암과 하나의 링크로 구성되는 형식을 컨벤셔널 위쉬본식이라 부르기로 한다.

더블위쉬본식은 일반적으로 다른 것에 비하여 구조가 복잡하고 값이 비싸며 차체가 무거워진다는 단점이 있으나 캠버각의 변화, 토각의 변화, 롤센터 높이의 변화 등을 선택할 수 있는 자유도가 높고, 낮은 본넷화, 낮은 프랙션화가 실현되기 쉽다는 이점이 있다. 또한 컴플라이언스 등을 최적의 상태로 설정하여 조정안정성, 승차감을 최대한으로 융합시킬 수 있는 가능성이 있다.

⑧ 컨벤셔널 위쉬본 conventional wishbone 식

컨벤셔널 위시본식은 2개의 3각형 암과 하나의 링크로 구성되며 휠 센터 옵셋을 획기적으로 단축, 킥백 반응감의 향상을 꾀하기 위하여 로어암의 아우터피봇의 높이를 휠 센터 근방으로 하고 다시 캠버강성을 유지하기 위하여 어퍼암을 타이어 위쪽으로 배치한다. 이러한 목적에 더하여 엔진룸이 비교적 폭이 넓은 전륜구동 자동차에 사용되기 때문에 짧은 어퍼암을 타이어 위쪽으로 배치하여 지나친 캠버변화를 억제하고 있다.

▶ 출처 : 한국산업인력공단(2012). 『자동차섀시』 현가장치. 208p

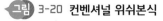 그림 3-20 컨벤셔널 위쉬본식    그림 3-21 어퍼암을 위쪽으로 레이아웃한 예

⑨ 멀티링크 muti link 식

2개의 3각형 암에서 벗어나 이들을 복수의 링크로 바꾸어 놓은 것, 링크를 추가한 것 등 수많은 고안을 하고 있다. 이들은 얼라인먼트 설계의 자유도를 향상시키거나 전륜, 후륜 가릴 것 없이 킹핀축을 가상의 것으로 포착함으로써 제동·구동횡력 등에 의한 얼라인먼트 변화를 최적으로 하는 것을 목적으로 하고 있다. 그림은 기구학적으로는 앞에서 말한 5개의 링크 가운데 두 링크를 하나의 암으로 바꾸어놓은 것이라 생각할 수 있다. 또한 바이저허액슬이라고 하는 방식으로, 로어트레일링암을 러버부시와 짧은 암, 핀을 통하여 차체에 설치해서 로어 라테럴링을 앞뒤방향으로 휘어지도록 한 구조도 있다. 이것은 후륜의 토각변화의 순간중심을 타이어중심의 바깥쪽으로 위치시킴으로써 파워오프 및 제동 시에 토각을 인 방향으로 변화시키는 것을 목적으로 하고 있다.

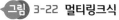

▶ 출처 : 한국산업인력공단(2012). 『자동차섀시』 현가장치. 220p

그림 3-22 **멀티링크식**

그림에서는 전륜에 서드링크라고 하는 링크를 추가함으로써 킹핀옵셋의 축소와 지나친 캠버변화의 억제를 실현하고 있다. 또한 덤퍼와 코일스프링을 이 서드링크에 설치함으로써 효율적으로 상하하중을 분담하고 또 차축방향을 콤팩트한 레이아웃으로 하고 있다.

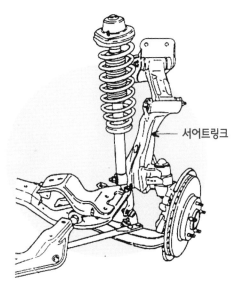
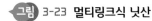

▶ 출처 : 편집부(1996). 『자동차공학기술대사전』. 과학기술 . 서스펜션, 액슬편. 448p

그림 3-23 **멀티링크식 닛산**

⑩ 맥퍼슨 Macpherson 식

댐퍼의 굽힘 강성을 높여서 암의 역할을 수행하도록 한 것으로, 기구학적으로는 더블 위쉬본식의 어퍼암을 위쪽으로 위치시켜 그 암의 길이를 무한으로 한 것과 등가가 된다. 따라서 위쉬본식에 비하여 어퍼암의 설계자유도가 없어진 만큼 얼라인먼트 설정의 자유도는 적다. 구조부재가 적기 때문에 경량이고 값싸게 할 수 있다. 또한 댐퍼의 차체쪽 설치점이 높기 때문에 캠버각, 캐스터각의 확산도 적어서 타이어 회전 방향의 강성도 높게 잡을 수 있다.

이러한 장점들로 양산되는 차에 알맞으며 상당히 널리 사용되고 있는 반면, 상하 프랙션이 높아져서 승차감을 저해한다는 단점이 있다. 또 전륜에 사용했을 경우 보닛이 높아진다는 결점도 있다. 이에 상하 프랙션을 낮게 하기 위하여 코일스프링의 축을 댐퍼 축에 대하여 경사시키는 방법이 대부분의 자동차에서 사용되고 있으며 로어암의 바리에이션을 준 맥퍼슨식 서스펜션의 구조를 나타내주고 있다. 또한 핸들 조종륜의 로어암을 2개의 링크로 분할하고 각각을 액슬에 설치하여 킹핀을 강상 축으로 함으로써 킹핀옵셋을 줄이고 다시 핸들조종시의 얼라인먼트를 제어하고 있다.

▶ 출처 : 한국산업인력공단(2012). 『자동차섀시』 현가장치. 210p

그림 3-24 맥퍼슨식 현가장치

(3) 특수 현가장치

① 공기 스프링 air spring 식

대형트럭, 버스에 사용되며, 현재에는 고급승용차에 있어서도 사용이 확대되어 가고 있다. 고급승용차에 있어서는 공기실의 용적을 바꾸어서 스프링상수를 변화시킨 것이나 공기압 및 양을 변화시켜서 차고높이조정 오토레벨링을 하는 것이 많다. 그 특징은 고유진동수를 낮출 수 있는 차 높이를 일정하게 유지할 수 있고 주파수의 절연성이 좋으며 공기의 압축성에 의한 비선형스프링특성을 얻기 쉽다. 반면에 복잡하여 값이 비싸지는 단점이 있다.

② 유체 스프링 hydro-pneumatic spring 식

유체에 의하여 힘을 전달하여 기체스프링(주로 질소)을 작동시키는 것으로서 통상 고압을 발생시키는 펌프가 있으며, 오토레벨링 등의 기능이 있다. 현재에는 이 시스템에 전자제어를 더함으로써 액티브 현가장치로 발전하고 있다.

특징으로는 공기스프링 식에 비하여 응답속도를 빨리할 수 있기 때문에 성능을 향상시키기 쉬운 반면 고압의 기름을 쓰기 때문에 누설 등에 대한 높은 정밀도가 요구된다는 점이 있다. 차량 중량이 늘어나고 값이 비싸지는 등의 단점이 있다.

5 현가장치와 조종 안정성

조종자의 조타에 의한 진로 수정이나 코스 추종이 용이하고, 그 의도에 따른 성능에 부합하는 정도를 자동차의 조종성이라 한다. 또 안정성이란 자동차가 노변에서의 힘이나 횡풍 등을 받았을 때 그 진로가 교란되는 일이 적고, 신속히 균형의 상태로 되돌아가는지의 여부를 판가름하는 말이다. 이와 같은 자동차의 운동문제를 생각하기 위해 여기에서는 전형적인 차량의 운동역학적 모델을 상정해 본다. 이 모델은 그림에 표시한 바와 같이 조타 가능한 전방이륜과 후방이륜의 차륜이 강체라 간주되는 차체에 장착되어 있는 차량이다. 차륜을 장착하여 노면을 자유롭게 주행하는 자동차에는 많은 종류가 있다. 수많은 자동차 각각의 운동을 모두 일별하기는 어렵다. 때문에 이러한 모델을 통하여 자동차의 기본적인 운동 문제를 고찰해볼 수 있다. 그림과 같이 차량을 가장 일반적이고 간소한 사륜차로 추상화하여 생각함으로써 차량의 운동에 관한 기본지식을 얻을 수 있다.

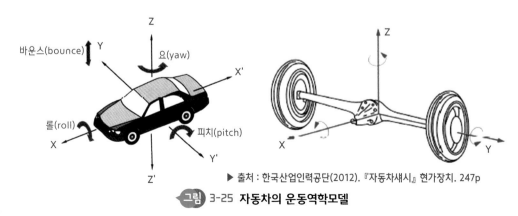

▶ 출처 : 한국산업인력공단(2012). 『자동차섀시』 현가장치. 247p

그림 3-25 자동차의 운동역학모델

(1) 스프링의 운동과 조종안정성

차량의 역학모델에 있어서 차륜은 중량을 갖지 않고 강체라 간주되는 차체가 차량의 중량을 대표하는 것으로 간주한다. 이 차량 중심점을 원점으로 차량의 전후방향을 X축, 좌우방향을 Y축, 상하방향을 Z축으로 하는 좌표축을 상정한다.

이 좌표를 규준으로 하면 차량 운동의 자유도를 공간 내의 강체의 운동으로써 다음 6종류로 분류할 수 있다.

① X방향의 병진운동, 전후운동 longitudinal motion
② Y방향의 병진운동, 좌우운동 lateral motion
③ Z방향의 병진운동, 상하운동 up and down motion
④ X축 둘레의 회전운동 rolling motion
⑤ Y축 둘레의 회전운동 pitching motion
⑥ Z축 둘레의 회전운동 yawing motion

그런데 위의 여섯 운동을 다시 상세하게 보면 크게 다음의 두 가지로 나누어 생각할 수가 있다. 하나는 ①, ③, ⑤의 운동이며 이것들은 조타와는 아무런 직접적인 관계가 없는 운동이다.

①의 운동은 액셀이나 브레이크에 의한 차량의 구동이나 제동을 포함하는 전후방향의 직선운동이다. 또 ⑤의 운동은 노면의 요철에 의해 생기는 상하방향의 운동이며 주행 중의 차량의 승차감과 직접 관련되며 상하방향의 노면의 부정이나 ①의 운동에 따라 생기는 운동이다. 이에 반해 ②, ⑥의 운동은 기본적으로 주행 중 차량의 조향에 의해 생기는 운동이다. ②의 운동은 조타함으로써의 차량의 횡방향 운동이며, ⑥의 운동은 조타함으로써 차량의 방향이 변화하는 요잉운동이다. 그리고 ②나 ⑥의 운동에 따라 ④의 롤링운동이 생긴다. 따라서 조종성 안정성이 대상으로 하는 운동이란 기본적으로는 조향에 의해 생기는 ②, ④, ⑥의 운동이라고 말할 수 있다.

또한 이와 같은 차량운동을 기술하기 위한 좌표계에는 스프링 위 고정좌표계(X, Y, Z), 자동차 고정좌표계(X_0, Y_0, Z_0), 노면 고정좌표계(X, Y, Z) 가 있고 이것을 그림에 표시한다. 스프링 위 고정좌표란 스프링 위 중심에 원점을 둔 좌표계이다. 자동차 고정좌표계란 차량 전체의 중심에 원점을 두고 X_0, Y_0 축이 수평인 좌표계이며 단순한 차량모델의 기술에 편리하다.

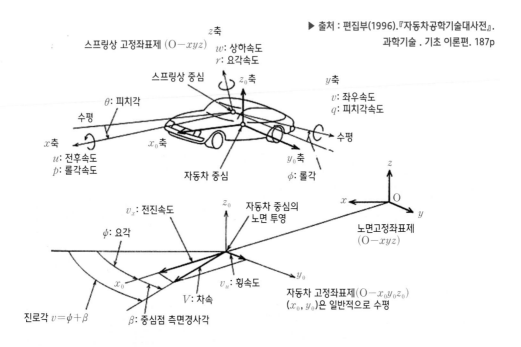

▶ 출처 : 편집부(1996).『자동차공학기술대사전』. 과학기술 . 기초 이론편. 187p

그림 3-26 운동을 기술하기 위한 표준 축과 기호

(2) 스프링 운동

스프링의 진동은 그 장착지점에 따라 운동이 어떻게 전달되고 어떻게 감쇄되는지 다르다. 또한 차체에는 다양한 진동의 상황에 따른 완충 방식이 필요하게 되며, 이를 위해 각개의 진동을 별도로 명칭하고 해당하는 진동의 정의를 명확하게 할 필요성이 있다.

① 바운싱 bouncing

수직축(z축)을 따라 차체가 전체적으로 균일하게 상/하 직진하는 진동. 즉, 상하방향으로 진동하는 것을 의미한다. 흔히 패이거나 튀어나온 요철을 지날 때 생기는 진동을 의미한다.

② 러칭 lurching

가로축(y축)을 따라 차체 전체가 좌/우 직진하는 진동을 의미한다.

③ 서징 surging

세로축(x축)을 따라 차체 전체가 전/후 직진하는 진동을 의미한다.

④ 피칭 pitching

가로축(y축)을 중심으로 차체가 전/후로 회전하는 진동. 방지 턱을 넘는 등 차량의 앞과 뒤가 평행하지 않게 흔들리는 진동을 의미하는 것으로, 앞쪽이 내려앉는 상태와 치솟는 상태 모두를 의미한다.

⑤ 롤링 rolling

세로축(x축)을 중심으로 차체가 좌/우로 회전하는 진동. 정면에서 봤을 때 차체가 회전하는 형태의 진동으로, 좌우 불균일한 노면과 비스듬한 측면 경사로를 지나는 등에서 발생한다.

⑥ 요잉 yawing

수직축(z축)을 중심으로 차체가 좌/우로 회전하는 진동. 위에서 내려다 본 차량이 회전하는 진동으로 코너링 시 강한 관성으로 인해 발생하는 슬립 및 차량의 미끄러짐에서 주로 발생한다.

⑦ 휠홉 wheel hop

Z축 방향을 기준으로 상하로 출렁거리는 진동을 의미한다. 현가장치의 스프링 및 쇽 업소버 반발력이 지나치게 클 경우 출렁거림이 더욱 심해질 수 있다.

⑧ 트램핑 tramping: Trampeln, 휠 트램프 wheel tramp

판스프링에 의해 현가된 일체식 차축이 세로축(x축)에 나란한 회전축을 중심으로 좌/우 회전하는 진동. 즉 X축 방향 정면에서 보았을 때 좌우로 흔들리는 진동을 의미한다. 좌우 불균일한 노면 상태 및 좌우측 현가장치 성능 차이에 의해 주로 발생하게 된다.

⑨ 와인드업 wind up

Y축을 중심으로 하는 회전운동을 의미, 주로 바퀴의 주행 상태에 큰 영향을 받는다.

(3) 차량운동 제어

조종성 안정성의 대상이 되는 차량운동은 조향에 의해 생기는 것과 마찬가지로 운동의 제어도 조향에 의해 이뤄진다. 이에 주목하여 최근에는 전륜뿐만 아니라 후륜도 조향하고, 조종성 안정성의 관점에서 차량운동을 제어하려는 기술적 노력이 시도되고 있다. 이 제어는 크게 다음의 두 가지로 나눌 수 있다.

하나는 핸들에 대하여 어떤 조향 축이냐에 따라 전륜이나 후륜을 조향하고 피드백 워드 제어를 통해 바람직한 운동을 실현하는 제어이며, 또 하나는 차량의 운동 상태를 피드백하여 전륜이나 후륜을 조향하여 바람직한 운동을 얻도록 하는 피드백제어이다. 이것들을 총칭하여 액티브 조향에 의한 조종성 안정성 제어라 부르고 있다.

(4) 사람에 의한 차량 운동제어

자동차는 차안의 운전자에 의해 그 운동이 제어된다. 조타에 의해 차량은 스스로의 운동역학적 고유성에 따르며 횡방향의 운동, 요잉운동, 나아가서는 이것에 따른 롤링운동을 한다. 이 때 운전자에게는 항상 주행해야 할 목표코스로 도로 전방의 모습이 눈앞에 주어진다. 그리고 운전자는 현재 자신의 차량이 목표코스에 대하여 어떠한 위치에 있고 어떠한 운동을 하고 있는가를 관찰하고, 장래 어떠한 운동이 될 수 있을까를 예측한 후 그에 적합한 조타를 판단한다.

이처럼 차량은 주어진 목표코스에 따른 운동을 한다. 그렇다면 조종성 안정성의 관점에서 눈여겨보아야 할 점은 무엇보다 차량 자체가 어떠한 운동역학적 성질을 가지는가라는 점이다. 다음으로 그와 같은 차량이 운전자의 제어를 받은 경우 어떠한 운동을 나타내는가가 문제가 된다. 나아가 어떠한 운동역학적 성질을 갖는 차량이 운전자에게 있어 제어하기 쉽고 바람직한 것인가가 문제가 된다.

02 현가장치 튜닝 장착 개론

1 안정성 시험

차량의 조종성 및 안정성은 정해진 조향각 입력 혹은 횡풍 등의 외란이 주어진 상황에서 운전자가 핸들수정을 하지 않는 오픈루프의 응답성과 운전자가 핸들조작을 계속하면서 주어진 운전태스크를 하는 클로스루프의 응답성으로 크게 나누어진다.

조종성 및 안정성은 차량의 설계파라미터에 의해 규정되므로 이론적으로는 차량의 설계파라미터를 파악할 수 있으면 차량의 수학모델에 의해 오픈루프의 응답특성 예측이 가능하게 될 것이다. 그러나 실제로는 수학모델에 의한 시뮬레이션에는 그 규모와 입력 데이터 입수에 한계가 있고 특히 선형이 아닌 요소에 크게 영향 받는 한계성능이나 비정상인 공기역학에 크게 영향 받는 횡풍 안정성 등은 정밀도가 높은 예측이 곤란하다.

또한 **클로스루프**Closed Loop의 응답특성에 대해서는 인간의 응답이 다양하기 때문에 모델화조차 어려운 상황이다. 또 상품으로써의 자동차 완성도를 확인하는 경우에는 각종 응답특성의 종합적인 평가 및 모델화를 해낼 수 없는 요소에 대한 평가도 필요하므로 수학모델에 의한 예측만으로는 충분하지가 않다. 이와 같은 이유에서 실차주행에 따른 시험은 여전히 높은 중요성을 계속 갖고 있다. 조종안정성시험에는 차량 기초특성, 현가장치특성, 스티어링시스템 특성 등 주로 설계파라미터를 측정하는 시험과 실차주행에 의한 오픈루프와 클로스루프의 조종안정성시험 등이 있다.

2 현가장치 특성 시험

현가장치 특성 시험은 서스펜션 링크 기구에 따라 정해지는 얼라인먼트와 같은 기하학적 특성 시험이 있고 스프링–매스계로 대표되는 역학적 특성에 대한 정적인 해석 시험이 있다. 현가장치 특성 시험에는 아래와 같은 항목들이 있다.

① **휠레이트 측정 :** 휠 스트로크에 대한 하중 변화를 평가
② **얼라인먼트 변화 측정 :** 휠 스트로크에 대한 얼라인먼트의 변화 평가
③ 지오메트리 및 휠 레이트 등에 따라 결정되는 롤센터, 롤강성 측정
④ **현가장치 강성 측정 :** 현가장치에 외력이 가해졌을 때의 현가장치 각 부품의 움직임과 얼라인먼트 변화 측정

61

⑤ 현가장치 지오메트리 및 스프링 특성 측정

⑥ **고유진동수 감쇠비 측정 :** 댐핑 특성 등에 차량 중량이 관계되는 진동 특성을 평가

❸ 기초특성 측정

기초특성이란 조종안정성과 브레이크성능, 동력성능 등의 주행성능의 기초가 되는 차량의 물리량이며 대표적인 기초특성은 중량, 하중배분, 중심높이, 트레드, 휠베이스, 관성모멘트이다.

(1) 중량, 하중배분 측정

4륜차인 경우 4개의 타이어가 받치는 하중의 총계가 차의 중량이 되지만 개개가 꼭 등분되어 있다고는 할 수 없다. 이는 주로 엔진의 탑재 위치와의 관련 있는 문제이다. 계측 파라미터는 네 바퀴의 각 바퀴하중이지만 편의적으로 축 하중을 계측하는 것이 일반적이다. 계측기는 일반적으로 피트 내에 설치된 평저울 또는 전기저항선식으로 운반할 수 있는 하중계를 사용한다. 측정은 중량, 하중배분을 빈차 상태로 측정하나 필요하다면 정원승차 상태나 적재 시에서의 중량도 측정한다.

자동차관리법에서는 승차인원 1명을 68kg 또 승차인원 1명 당 짐을 7kg로 규정하고 있다. 주의사항은 네 바퀴 간의 하중이동이 일어나지 않도록 수평면 위에서 측정한다. 데이터 처리에서는 앞축중량(W_f) 및 뒤축중량(W_r)을 각각 측정하고 합계를 차량중량(W)로 한다. $W=W_f+W_r$ 로 바퀴하중을 측정했을 때는 차축무게를 계산한다. 앞차축, 뒤차축의 하중배분은 각각 다음과 같이 표시된다.

- 앞차축하중배분 $= \dfrac{W_f}{W_f+W_r} \times 100(\%)$

- 뒤차축하중배분 $= \dfrac{W_r}{W_f+W_r} \times 100(\%)$

(2) 중심 높이 측정

중심점의 높이는 선회 시나 브레이킹 시에 발생하는 타이어 간의 하중이동과 롤, 노즈다이브, 텔리프트 등 차체의 자세 변화에 영향을 미친다. 계측파라미터는 경사대식

중심높이 측정 장치를 사용할 때는 차량중량, 경사대의 경사각, 경사대지지력, 경사대 요동중심과 중심점의 거리를 측정한다.

측정기기로는 경사대식 중심높이 측정 장치가 대표적이다. 이것은 경사각에 따라서 경사대를 지지하는 데 필요한 하중의 변화를 측정하고 계산식에 의해 중심높이를 구하는 것이다. 더 간편하게는 차량을 크레인 등으로 경사시켜 매달아 올리는 방법이 있다.

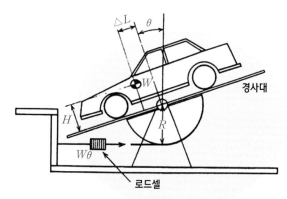

$$H = \frac{R \cdot W\theta}{\sin\theta \cdot W} - \frac{\triangle L}{\tan\theta}$$

- H : 측정 대회 전 중심에서 중심까지의 거리
- R : 측정 대회 전 중심에 관한 로드셀하중의 모멘트 암
- $W\theta$: 경사시의 로드셀 읽기
- W : 피측정체의 중량
- $\triangle L$: 회전중심과 피측정체 중심위치의 앞뒤방향의 편차

▶ 출처 : 편집부(1996). 『자동차공학기술대사전』. 과학기술. 시험평가편. 113p

그림 3-27 중심높이의 측정(경사대의 경우)

측정할 때는 일반적으로 중심높이는 타이어, 현가장치를 포함한 차 전체의 중심점의 높이를 취급하기 때문에 그 측정 있어서 스프링 위, 스프링 밑의 구별은 하지 않는다. 특히, 스프링 위만의 측정을 할 때는 스프링 밑을 떼어 내고 실시한다. 주의사항으로는 경사대식 측정 장치인 경우 차량이 경사하기 때문에 다음에 대해서 유의해야 한다.

① 경사에 의한 하중이동에서 차 높이가 변화하지 않도록 기어를 지지한다.

② 경사에 의한 경사방향의 차량이동을 바퀴고정, 와이어 등으로 방지한다.

③ 경사각은 20~30°정도로 한다.

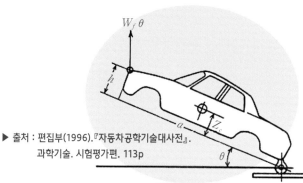

중심위치의 측정

$$Z_G = \frac{\triangle W_f \cdot a}{W\tan\theta} + \frac{W_f \theta}{W} h$$

- W : 전체의 중량

  $\triangle W_f$ 는 $\theta = 0$ 와 $\theta = 0$ 일 때의 W_f 의 차

  $\triangle W_f = W_f - W_{f0}$
- a, h 는 $\theta = 0$ 일 때의 후부지점과 W_f 의 착력점간의 수평거리와 수직거리

▶ 출처 : 편집부(1996). 『자동차공학기술대사전』. 과학기술. 시험평가편. 113p

그림 3-28 중심높이의 측정(매달기식의 경우)

(3) 트레이드, 휠베이스 측정

트레드는 기어의 롤이나 좌우바퀴의 하중이동 등 선회성능에 영향을 미치고 휠베이스는 가속 및 감속 시의 앞뒤의 하중이동이나 횡풍을 받았을 때의 안정성, 직진성에 영향을 미친다. 계측파라미터는 트레드 및 휠베이스이다.

계측기는 **토인 게이지**toe-in gauge와 스케일을 병용해서 측정하는 것이 일반적이지만 공간좌표 측정 장치를 측정함으로써 현가장치 지오메트리 계측도 동시에 할 수 있다.

트레드는 타이어 접지점 중심의 좌우 바퀴 간의 거리지만 측정이 물리적으로 어렵기 때문에 타이어 원주 상의 중심선(타이어패턴을 이용)의 좌우 간 거리를 측정하면 된다. 휠일베이스는 앞뒤의 타이어 접지점 중심간 거리의 X축 방향성분을 측정한다. 주의사항은 기본적으로 빈차 상태로 측정한다. 적재 상태에서 측정하면 자동차높이가 변화하여 트레드, 휠베이스도 영향을 받을 때가 많기 때문이다.

따라서 측정 시의 자동차 높이는 빈차 상태에 맞춘다. 트레드의 측정에서 토인이 설정되어 있을 때는 타이어 원주 위의 앞뒤에서 좌우 간 거리를 측정하고 평균치를 계산한다.

(4) 관성모멘트

관성모멘트는 요잉, 피칭, 롤 등 차량의 회전운동에 크게 영향받는 물리량이다. 측정 시 빈차 상태에서 측정하기로 한다. 요잉운동은 스프링 위 스프링 밑을 대략 동일하게 해서 취급하기 때문에 관성 모멘트도 스프링 위 스프링 밑의 밑은 하지 않으나 피칭, 롤에 관해서는 스프링 위에서만 계측하는 것이 바람직하다.

일반적으로 관성모멘트는 중심점 주위의 값을 따르지만 진자형의 측정기로 피치 및 롤 관성모멘트를 계측할 때는 요동중심이 한정되어서 중심점 주위가 흔들리기에 곤란하다. 때문에 이 때에는 중심점의 차이를 고려해서 보정하여야 한다. 또 회전대 단체의 관성모멘트는 측정결과에 영향을 주기 때문에 단체의 측정도 동시에 해서 결과를 보정하는 일이 필요하다.

03 현가장치 튜닝 실무

　서스펜션의 설계에 있어서는 서스펜션에 관계되는 여러 성능목표(조종안정성이나 승차감 등)를 결정하고, 다음으로 그것을 만족시킬 수 있는 서스펜션의 특성을 충족시킬 수 있는 방식이나 레이아웃을 선정한다. 아울러 코스트나 중량 면에서 허용할 수 있는지 여부를 검증하는 것도 필요하다. 그러나 개개 상품의 프로젝트마다 디자인, 생산설비투자 등 여러 가지 제약조건이 다르기 때문에 이들의 순서 또한 선후행이 다른 것이 현실이다.

표 : 각 서스펜션 특성의 일반적인 범위

항목	특성값	비 고
토우	전륜: 0~아웃 0.5˚/50mm 범프 후륜: 0~인 0.3˚　/50mm 범프	최근에는 거의 0으로 하는 것이 많다.
캠버	대 보디: −2 ~ +0.5˚ + 50mm 범프	서스펜션의 형식에 따라 설정의 자유도가 크게 달라진다.
킹핀의 경사각	7 ~ 13˚	작은 것이 바람직하다.
킹핀의 옵셋	−10 ~ +30mm	작은 것이 바람직하고 특히 FF차에서는 0부근~마이너스로 설정하는 일이 많다.
홀센터 옵셋	30~ 70mm	작은 것이 바람직하다.
캐스터 각	FF차: 0~ 3˚　FR차: 3 ~ 10˚	
트레일	0 ~ 30mm	
트레드 변화	−5 ~ +5mm/50mm 범프(한쪽바퀴 당)	작은 것이 바람직하다.
롤센터 높이	0 ~ 150mm(독립 현가)	
롤의 강성	(차량의 제원에 따라 다르다)	롤율로 환산하여 2~ 5˚ 해당
앞뒤 강성	2 ~ 5mm/980N (100kgf) 부하	
전후력 컴플라이언스 스티어	아웃0.5˚~인0.5˚/휠센터980N(100kgf)부하 아웃0.3˚~인0.3˚/접지점980N(100kgf)부하	일반적으로 0이 바람직하다.
횡강성	0.3~0.2mm/접지점 980N(100kgf) 부하	
횡력 컴프라이언스 스티어	전륜: 대략0~아웃0.2˚/980N(l00kgf)내향부하 후륜: 대략0~인0.1˚/980N(100kgf) 내향부하	
하중휨 특성	범프스트로크: 70~120mm 리바운드스트로크: 80 ~ 130mm 서스펜션레이트: (차량제원에 따라 다르다)	스프링 위 고유진동수로 환산하여 1 ~ 2Hz 정도
감쇠력 특성	(차량제원에 따라 다르다)	감쇠비(C/Cc)로 환산하여 0.2 ~ 0.8

▶ 출처 : 편집부(1996).『자동차공학기술대사전』. 과학기술. 설계편 451p

1 현가장치 개요

(1) 토우 toe

범프, 리바운드할 때의 토우 변화는 차량의 직진안정성, 언더스티어 또는 오버스티어 특성에 크게 기여율이 있는 설계 파라미터의 하나이며, 롤 할 때의 토우 변화를 롤스티어라고도 한다. 전륜에 있어서는 범프할 때 0~약토 아웃 변화가 되도록 설정하는 일이 많다. 0 부근에서 설정하는 것은 직진할 때 노면의 오르내림으로 인한 토의 변화를 제어해서 양호한 직진안정성을 확보하기 위해서이다.

또 약토 아웃 변화로 하는 것은 차량을 약 언더스티어 특성으로 하기에 효과적 수단이기 때문이다. 또 이때에는 적재중량의 변화 등에 의한 차고 높이의 차가 있더라도 언더스티어의 정도는 될 수 있을 만큼으로 달라지지 않는 것이 바람직하다.

이에 범프 스트로크에 대한 토 변화의 방식은 직선적인 것이 좋으나 서스펜션, 스티어링계의 형식이나 레이아웃에 따라서는 곡선적으로 되는 수도 있다.

그 예를 아래 그림에 보여준다. 후륜에 있어서는 언더스티어 부여수단으로써 범프할 때 약토인 변화가 되도록 설정하는 일이 많은데 과도한 펌프일 때의 토인 특성은 차량의 요우나 롤의 주파수 응답 특성을 공진적으로 하기 때문에 바람직하지 않다.

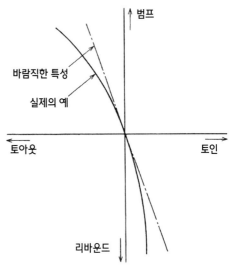

▶ 출처 : 편집부(1996).『자동차공학기술대사전』.
과학기술. 서스펜션 설계편 452p

 3-29 **토우 변화**

(2) 캠버 camber

범프, 리바운드할 때의 캠버 변화는 토 변화와 마찬가지로 차량의 직진안정성 언더스티어 또는 오버스티어 특성 등에 기여한다.

왜냐하면 타이어는 노면에 대한 캠버각에 따른 캠버스러스트를 일으켜서 횡미끄럼각에 따라 발생하는 사이드포스와 합쳐서 차량의 코너링에 필요한 횡력이 되기 때문이다. 따라서 캠버 변화와 차량의 특성과의 관계를 고려하는 경우에는 대지 캠버 변화를 생각할 필요가 있다. 대지 캠버 변화와 대보디 캠버 변화와의 관계는 리지드액슬의 경우와 독립현가의 경우에서 크게 다르다.

아래 그림처럼, 롤 할 때에는 글립을 높여 코너링 성능을 향상시킨다고 하는 관점에서 리지드액슬이나 독립현가 B의 특성이 바람직하다. 한편, 차량이 직진할 때 노면의 오르내림 등으로 범프, 리바운드에 의한 캠버 변화를 일으켰을 경우에는 캠버스러스트에 의한 횡력이 발생하기 때문에 지나친 대지 캠버 변화는 직진안정성을 방해한다. 즉 이 점에 있어서는 독립현가 A의 특성이 바람직하다고 할 수 있다. 그러므로 범프, 리바운드할 때의 캠버 변화에는 코너링성능과 직진안정성의 양립이라고 하는 관점에서 적정 범위를 생각할 수 있어야 한다.

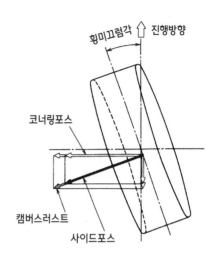

▶ 출처 : 편집부(1996).『자동차공학기술대사전』. 과학기술. 서스펜션 설계편 452p

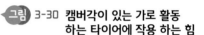
그림 3-30 캠버각이 있는 가로 활동 하는 타이어에 작용 하는 힘

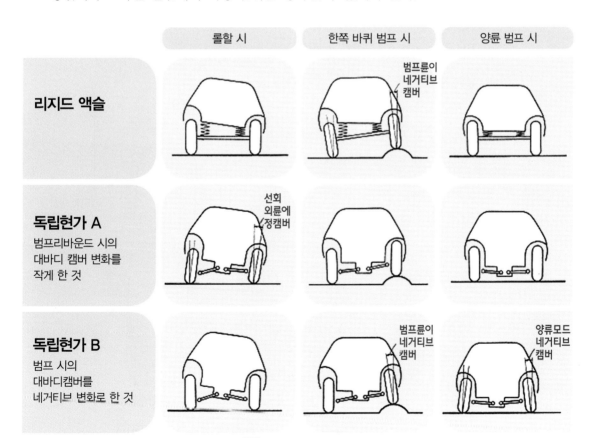

그림 3-31 캠버 변화의 특성

(3) 킹핀의 경사각 킹핀 옵셋 king pin inclination angle& scrub radius

킹핀의 경사각은 핸들조종륜에 있어서 차량정변에서 본 킹핀 축의 연직선에 대한 기울기이다. **그림 3-32**의 킹핀옵셋은 핸들조정륜에 있어서의 타이어 접지점 A와 킹핀 축과 노변의 교점 B와의 좌우방향 거리이다.

또 CD의 거리를 휠 센터에서의 킹핀 옵셋이라고 하기도 한다. 킹핀 옵셋은 접지점에 전후력(제동력)이 가해졌을 때 킹핀 둘레에 발생하는 모멘트의 크기를 정하는 유효길이이며, 휠 센터에서의 옵셋 CD는 휠 센터에 전후력 (구동력이나 전동시 노면으로부터의 입력)이 가해졌을 때의 마찬가지 유효길이이다.

제동력에 의한 킹핀 축 둘레의 모멘트는 일반적으로는 좌우륜에서 같고 스티어링 링크의 내력과 균형을 이룬다. 그런데 효력불균형이나 노면마찰계수의 확산에 의한 전륜 제동력의 좌우차가 생겼을 때나 브레이크 유압배관을 다이어고널로 했을 경우(X 배관)의 1 계통결함 시의 제동에 있어서는 핸들 주변에 힘이 전달되기 때문에 킹핀 옵셋이 크면 핸들이 붙잡히게 된다. 전륜구동 차의 대부분은 브레이크의 배관이 X배관이며 이와 같은 상황에서 핸들이 붙잡히는 것을 막고 그때의 차량 자세를 보존한 상태에서 정지시키기 때문에 킹핀옵셋은 마이너스로 하는 일이 많다.

마이너스 킹핀 옵셋으로 했을 경우에는 제동력의 좌우 차이에 의해서 발생하는 요잉 모멘트를 없애는 방향으로 조종하려는 모멘트가 작용하기 때문에 자세가 안정되는 효과를 얻을 수 있다. 또 휠 센터 옵셋은 킥백을 고려하면 될 수 있는 대로 작게 하여야 한다.

그러나 통상 서스펜션의 로어 피봇 좌우방향의 위치는 브레이크와의 간섭을 피하기 위한 제약을 받으므로, 킹핀 옵셋을 바람직한 값으로 결정했을 때 휠 센터 옵셋을 축소할 수 있는 한계가 정해진다.

▶ 출처 : 편집부(1996).『자동차공학기술대사전』.
과학기술. 서스펜션 설계편 453p

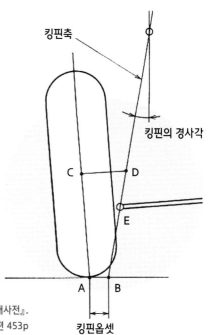

그림 3-32 킹핀의 경사각, 킹핀 옵셋

(4) 캐스터 각, 트레일 caster angle, trail

캐스터 각은 핸들 조종륜에 있어서의 차량측면에서 본 연직선에 대한 킹핀 축의 기울기, 트레일은 핸들 조종륜에 있어서의 타이어 접지점 A와 킹핀 축의 접지면과의 교점 B 사이의 거리이다.

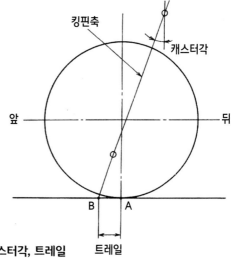

▶ 출처 : 편집부(1996).『자동차공학기술대사전』.
　　과학기술. 서스펜션 설계편 454p

그림 3-33 캐스터각, 트레일

캐스터 각은 킹핀의 경사각과 함께 핸들조정 시의 캠버 변화에 따른 영향이 커서, 캐스터 각을 크게 설정하면 외타 쪽의 캠버 각이 네거티브 방향으로 변화한다.

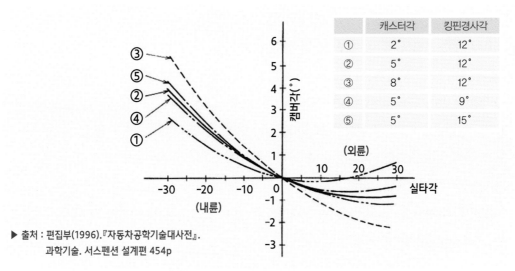

	캐스터각	킹핀경사각
①	2°	12°
②	5°	12°
③	8°	12°
④	5°	9°
⑤	5°	15°

▶ 출처 : 편집부(1996).『자동차공학기술대사전』.
　　과학기술. 서스펜션 설계편 454p

그림 3-34 핸들조정시의 캠버각 변화

따라서 전륜의 캐스터 각을 크게 설정하는 것은 캠버스러스트 분만큼 전륜 코너링에 필요한 횡력이 증가하기 때문에 차량의 언더스티어 특성은 약해지고 최대횡가속도도 향상된다. 또 트레일을 크게 설정하면 핸들의 되돌아 감기나 직진안정성은 좋아지지만 선회할 때의 조정·보타력은 무거워져서 매뉴얼 스티어링의 경우에는 한도가 있다.

(5) 트레드 tread, track

여기에서 말하는 트레드변화란 그림과 같이 범프, 리바운드에 따른 접지점의 횡방향 이동이라는 뜻이다. 범프할 때의 트레드 변화는 의사 횡미끄럼 각을 발생시키지 않는다는 의미로는 0이 바람직하다. 그러나 일반적인 독립현가인 경우에는 이를 0으로 하는 것은 불가능하며 암이나 링크의 길이 등에 따라 변화량을 작게 설정하는 것이 필요하다.

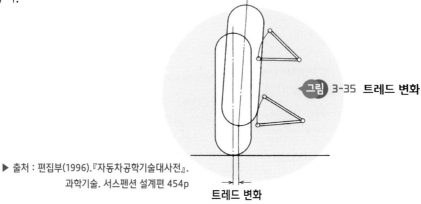

그림 3-35 트레드 변화

▶ 출처 : 편집부(1996).『자동차공학기술대사전』.
과학기술. 서스펜션 설계편 454p

트레드 변화

(6) 롤 센터, 롤축 roll center, roll axis

롤 센터란 프런트 및 리어의 각 휠 센터 앞뒤 위치에 있어서 스프링 상의 롤 방향 순간회전중심이다. 롤 센터의 개념은 순간중심의 사고방식이며 또 좌우대칭으로 되어 있으므로 엄밀하게는 롤 각이 미소할 때에 적용된다. 롤 센터의 지상높이가 롤센터 높이이다. 이때 프런트와 리어의 롤 센터를 잇는 축이 롤 축이다. 대략 차량은 선회할 때에 롤축 둘레로 롤한다고 생각할 수가 있기 때문에 롤 센터는 롤각이 크지 않은 범위에서 서스펜션 특성의 하나로써 의미를 갖는다. 일반적으로 롤 센터 높이는 스프링 위의 중심높이에 대하여 높을수록 롤을 작게 할 수 있는데 지나치게 높게 설정하면 재키업 현상이 발생한다. 또 롤 센터의 높이는 트레드 변화나 롤할 때 좌우륜의 하중이동과 관련이 있으며 언더스티어 및 오버스티어 특성이나 직진안정성에 대한 영향이 크다.

(7) 롤 강성 suspension roll stiffness

롤 센터 주변으로 단위각도로 롤시키기 위해서 필요한 롤 모멘트가 롤 강성이다. 롤 강성의 크기와 그전 후륜의 배분은 차량이 롤할 때의 크기나 언더스티어 및 오버스티어 특성과 밀접한 관계가 있다.

(8) 차량측면에서의 서스펜션 순간중심

휠이 상하동할 때 차량측면에서 본 순간회전중심의 위치는 차량의 노즈다이브, 스쿼트의 각 특성에 영향을 미친다. 노즈다이브에 대해서는 안티다이율, 안티리프트율이 지표가 된다. 극단적인 안티다이브는 노면의 불균형에 의한 타이어로의 전후방향 입력이 상하방향의 분력으로써 차체로 전해지기 때문에 승차감에 악영향을 줄 수 있다. 또 마찬가지로 안티스쿼트 특성도 휠 센터에 구동력이 부하된 상태에서의 안티다이브, 안티리프트 특성이라고 생각할 수 있다.

(9) 전후강성

휠 센터와 차체를 앞뒤방향으로 단위거리 상대 변화시키는 데 필요한 전후력의 변화량을 서스펜션 전후강성이라고 한다. 서스펜션 전후강성은 허쉬네스와 관련 깊은 것으로 알려져 있다. 왜냐하면 타이어가 노면의 작은 요철을 통과할 때에 휠 센터에 앞뒤방향의 진동적인 힘이 발생하는 특성이 있기 때문이다. 따라서 허쉬네스 성능이 좋은 서스펜션이란 타이어의 진동을 잘 절연해서 차체에 전달시키기 어려운 서스펜션이라고 할 수 있다. 이때의 진동 절연성은 그 진동의 주파수에서의 동적 강성이 낮을수록 좋다. 서스펜션의 강성은 일반적으로는 러버부쉬의 특성이나 구조부재의 강성 등에 따라 형성되고 있으며 이동적인 전후강성과 정적인 전후강성은 상관성이 높다.

(10) 앞뒤 컴플라이언스 스티어

전후력 컴플라이언스 스티어에는 제동할 때와 같이 접지 중심으로 전후력이 걸릴 때의 토 변화를 말하는 경우와 구동력이나 엔진브레이크와 같이 차륜중심으로 전후력이 걸릴 때의 토 변화를 말하는 경우가 있다. 일반적으로는 전후력 컴플라이언스 스티어는 제동, 구동 등의 조작이나 외란의 입력에 따라, 직진할 때 차량의 안정성을 혼란스럽게 하지 않는다는 관점에서 0이 바람직하다고 할 수 있다. 다만, 전륜 또는 후륜에 있어 특정조건 아래에서는 적극적으로 토인 또는 토아웃 특성을 부여함으로써 더욱 안정성을 증가시키는 것도 생각할 수 있다. 아래 표는 그 예를 나타낸다.

표 특정 조건 아래에서의 바람직한 컴플라이언스 스티어 변화 특성

	입력 하중	바람직한 변화 특성	바람직한 이유
전륜	제동력	토인	제동력의 좌우 불균일이 있는 경우에도 안정된다.
후륜	구동력	토인	고속 주행 시에 구동력의 증가와 함께 변화되어 직진 안정성이 향상된다.

(11) 횡 강성 lateral suspension stiffness

서스펜션의 횡강성은 차량의 중심과 차체를 횡방향으로 단위거리 상대 변위시키는 데 필요한 차륜중심에 있어서의 횡력 변화량으로 정의된다. 그러나 실제로는 서스펜션에 대한 횡력은 타이어로부터의 힘이기 때문에 여기에서 말하는 횡강성은 접지점에 횡력을 부하했을 경우 접지점의 횝량과의 관계로서 구해지는 것으로 한다. 이때에는 차륜의 캠버 방향 강성도 포함된다.

일반적으로 횡강성은 조정안정성에 대해서 높을수록 좋고 그 기여율도 높다. 또 허쉬네스 등 승차감에 대해서는 낮은 것이 좋으며 그 기여율은 낮다. 그러므로 횡강성의 설계 상 한계높이는 로드노이즈에 대한 인슈레이션의 배려나 서스펜션 구성부재의 구조에 따라 정해진다.

(12) 횡력 컴플라이언스 스티어,
셀퍼라이닝 토크컴플라이언스 스티어

횡력 컴플라이언스 스티어는 타이어의 접지중심에 좌우력이 부하되었을 때의 토 변화를 말한다. 또 셀퍼라이닝 토크컴플라이언스 스티어는 타이어의 상하축 둘레에 모멘트를 부하했을 때의 토 변화이다.

이들 특성은 차량의 언더스티어 및 오버스티어 특성에 대한 영향이 크고 특히 프런트 서스펜의 경우에는 스티어링 특성과 아울러서 검토할 필요가 있다. 또 실제 차에서는 횡력의 착력점은 접지중심보다 뒤쪽에 옵셋하고 있기 때문에 이 양 특성이 합성되어서 영향을 미치게 된다.

2 현가장치 부품별 특성

(1) 현가스프링

자동차의 현가스프링에는 겹침 판스프링, 코일스프링, 토션바, 공기스프링 등이 있다. 이들 스프링은 어느 것이나 차체를 지지하고 노면으로부터 오는 진동이나 충격하중이 차체로 전달되는 것을 완화할 목적으로 사용되고 있다.

현가스프링은 하중특성이 있어서 사용목적에 따라서 적정한 하중특성이 선정되며 그들 하중특성을 얻기 위하여 최적의 스프링이 사용되고 있다.

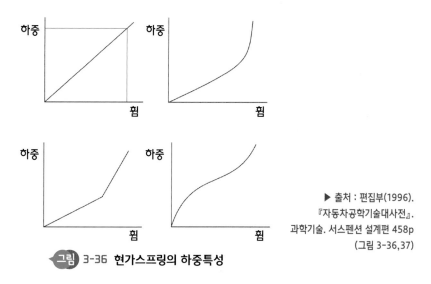

▶ 출처 : 편집부(1996).
『자동차공학기술대사전』.
과학기술. 서스펜션 설계편 458p
(그림 3-36,37)

그림 3-36 현가스프링의 하중특성

① 겹침 판스프링

겹침 판스프링은 단위체적 당 저장될 수 있는 탄성에너지가 코일스프링이나 토션 바에 비해 적음에도 불구하고 현가기구의 구조부재로써의 기능을 겸할 수 있어 오래 전부터 쓰이고 있다. 겹침 판스프링에는 판간 마찰력이 발생하고, 동적 스프링상수는 이 영향을 받아서 정적 스프링 상수보다 높아지는 경향이 있다. 또 휨이 작을 때에 그 영향이 현저 하다.

그림 3-37에서 나타난 바, 하중이력 특성에 있어서 CE를 판간 마찰력$(2F)$, DF를 대각선 스프링상수라 할 때, 이 대각선 스프링상수는 동적 스프링상수와 거의 일치한다. 스프링 종류에 따른 특성을 보면 컨벤셔널 스프링은 트럭, 버스 등에 사용되며 하중특성은 직선으로 되고, 프로그래시브 스프링은 주로 소형 트럭, 밴의 리어에 사용되며 하중특성은

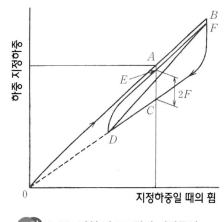

그림 3-37 겹침 판스프링의 이력특성

곡선으로 된다. 친자스프링은 중대형트럭의 리어에 사용되며 하중특성은 꺾임 선으로 되고 빈 차와 적재차 상태에서 다른 스프링상수를 얻을 수 있다. 그리고 테이퍼리 프스프링은 경량화의 목적에서 주로 중대형트럭의 프런트에 사용되고 있으며 컨벤셔 널 스프링과 동등한 하중특성을 나타낸다.

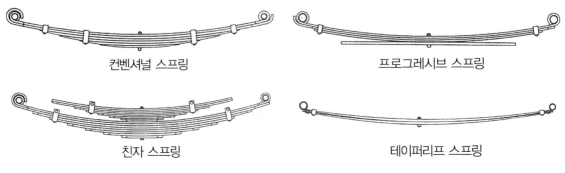

컨벤셔널 스프링   프로그레시브 스프링

친자 스프링   테이퍼리프 스프링

▶ 출처 : 한국산업인력공단(2012). 『자동차섀시』 현가장치. 221p

그림 3-38 겹침 스프링의 구조

사용응력은 피로강도가 평균응력보다 응력진폭의 영향을 받는 것을 고려하여 결정할 필요가 있다. 스프링판에 굽힘에 의한 인장응력을 가한 상태에서 훗피닝을 한다. 스트레스피닝의 채용에 따라 설계최대응력을 1100MPa(112.2kgf/㎟)를 넘겨 사용하는 일도 있다.

② 코일스프링

현가코일스프링은 모두 압축스프링이며 그 제조방법에 따라 열간성형 코일스프링(성형 후 담금질, 풀립 처리)과 냉간성형 코일스프링(오일템퍼선을 써서 성형 후 저온소둔 처리)으로 분류된다. 주로 열간성형은 선경이 10mm가 넘는 스프링에, 냉간성형은 10mm 이하의 스프링에 적용되고 있는데 코일 끝의 형상이나 그 밖의 이유에 따라 반드시 그렇게 하는 것만은 아니다.

코일스프링 사용응력은 현가방식에 따라 하중의 부하상태가 다르므로 일률적으로 사용 응력을 정한다는 것은 어렵지만 설계최대 응력은 일반적으로는 980~1078MPa(100~110kgf/㎟)로 쓰이고 있다. 설계응력을 높게 설정하기 위해서는 내좌굴성을 향상시킬 필요가 있다.

③ 토션바

현가용 토션바는 모두 원형 단면이 사용되며 단위중량 당 저장되는 에너지가 다른 스프링에 비하여 가장 크고, 이에 따라 가장 경량인 스프링이 된다. 현가용으로써 사용하는 경우에는 반드시 아래 그림과 같이 암과의 짜 맞춤을 필요로 한다. 그리고 손잡이부의 형상은 셀레션이 일반적이다.

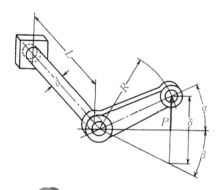
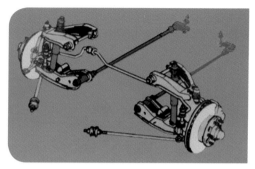

그림 3-39 **토션 바 부하기구** ▶ 출처 : 편집부(2010).『오토섀시』. 미전사이언스. 현가장치. 160p

④ 공기스프링

공기스프링은 외부로부터의 공기의 공급, 배출을 컨트롤함으로써 빈 차부터 적재차까지 하중의 변화에 대응하여 차량의 자세를 일정하게 유지할 수 있다. 이에 따라, 일정한 서스펜션 스트로크를 확보할 수 있고, 스프링상수를 낮게 설계하여 승차감의 향상을 꾀할 수 있다. 이런 이점에 따라 현재는 대형버스, 중형버스에 널리 사용되고 있는 것 외에도 화물의 손상방지 목적에서 대형트럭, 중형버스, 대형 버스의 리어에도 사용되고 있다. 이 중에 패러렐 링크식 에어서스펜션은 중형트럭의 리어 및 리프병용 에어서스펜션에 사용되고 있다.

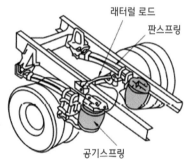
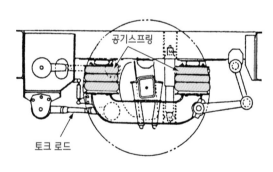

그림 3-40 **패러렐링크식 에어서스펜션(리어)**

▶ 출처 : 한국산업인력공단(2012).
『자동차섀시』 현가장치. 240p

그림 3-41 **리프병용 에어서스펜션**

표 공기스프링의 종류 및 특징

구분	• 벨로즈형	• 다이어프램형(1)	• 다이어프램형(2)	• 복합형
스프링 형상				
하중 특성		현가스프링으로서 이상적인 역 S자형의 스프링 특성이 얻어진다.		
특징	• 횡강성을 갖는다. • 래버막의 곡율 변화가 적고, 내구성이 우수하다 • 단수를 늘리므로 낮은 스프링 상수가 얻어진다.	• 가로강성을 갖는다. • 스프링 단체로 낮은 스프링상수가 얻어진다. • 스트로크의 큰 용도에서는 부적합 하다.	• 스프링 스트로크가 크게 잡힌다. • 스프링단체로 낮은 스프링 상수가 얻어진다. • 피스톤에 따라 변형하므로 래버 막의 곡율변화가 크고 내구면에 대한 주의가 필요하다.	• 구조적으로는 벨로즈 형과 다이어프램형의 중간적 구조로 양자의 특징을 살린 공기 스프링이다. • 보조탱크를 내장하는 것이 가능하며 낮은 스프링 상수가 얻어진다.

❸ 쇽 업소버

쇽 업소버는 차체의 상하진동에너지를 흡수함으로써 자동차의 진동을 억제하고 승차감 향상, 하물적재 보호, 차체 각 부의 동적응력 저감에 따른 수명의 증가를 꾀함과 동시에 스프링하의 운동을 억제하여 타이어의 접지성을 확보하기 위한 장치이다. 또 관성력에 의한 자세변화를 억제하여 차량의 운동성능향상을 도모하며, 쇽 업소버가 발생시키는 힘을 통상 감쇠력이라고 한다.

일반적으로 감쇠력을 발생시키는 방법으로는 고체마찰을 이용하는 방법과 유체압을 이용하는 방법이 있는데, 자동차의 서스펜션으로 사용되는 쇽 업소버는 경량, 소형으로 비교적 큰 흡수에너지를 얻을 수 있고 작동속도에 대한 감쇠력 특성을 임의로 정할 수 있는 등의 이점이 있어 유체(오일)의 유동점성저항을 이용한 방법을 사용하고 있다.

오일댐퍼의 감쇠력은 피스톤의 이동에 따라 실린더 내의 오일에 감쇠력 발생 밸브를 통과할 때의 내압 차로 인해 발생한다. 감쇠력 값은 차압과 수압면적의 곱으로 얻어진다. 통상적으로 쇽 업소버는 고정오리피스와 감쇠력 발생밸브를 짜 맞추어 특성을 얻는 경우가 많으며, 이 경우 고정오리피스 특성 및 밸브 특성 각각을 구하여 합성함으로써 감쇠력 특성을 얻을 수 있다.

현재 쇽 업소버는 감쇠력 발생구조, 가격 절감 등의 이유로 대부분 작동유체로 오일을 내장한 통형구조의 오일 댐퍼이다. 쇽 업소버는 크게 단순히 감쇠력을 발생시키는 통형 쇽 업소버와 차량 강도부재 기능을 겸한 서스펜션 스트러트로 나누어진다. 통형 쇽 업소버는 **그림 6-42**에서 보는 트윈튜브식 쇽 업소버, 모노튜브로서 고압가스를 봉입한 모노튜브식 가스들이 쇽 업소버, 트인튜브식 가스들이 쇽 업소버가 있다. 이 가운데에서 트윈튜브식 가스들이 쇽 업소버는 넓은 작동범위에 있어서의 감쇠력특성의 안정성, 프랙션, 오일이 밸브를 통과할 때의 분류음 레벨, 기본 길이, 가격 등에서 종합적으로 뛰어나므로 최근의 승용차에는 거의 이 구조의 쇽 업소버가 사용되고 있다. 여러 가지 개량도 이 구조를 기본으로 해서 추진되고 있으며 통형 쇽 업소버의 주류를 이루고 있다.

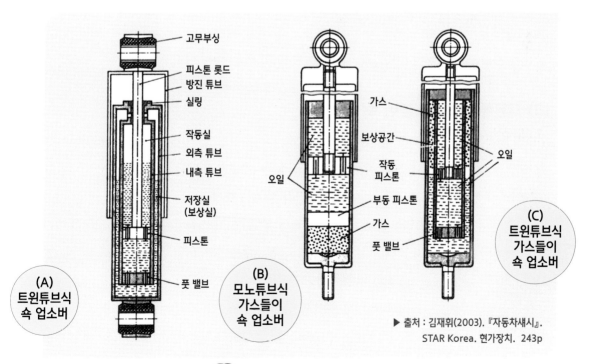

▶ 출처 : 김재휘(2003). 『자동차섀시』. STAR Korea. 현가장치. 243p

그림 3-42 통형 쇽 업소버의 종류

(1) 트윈튜브식 쇽 업소버

트윈튜브식 쇽 업소버는 신장행정에서 감쇠력을 발생시키는 밸브 및 피스톤부에 수축행정에서 감쇠력을 발생시키는 밸브를 베이스부에 설치하고 있으며 감쇠력의 발생 기구는 신축에서 독립적이다. 리저버실은 로드의 진입, 퇴출분의 오일 보상실로써 대기압의 공기가 들어 있으며, 장점으로는 감쇠력 발생밸브가 신축에서 독립되어 있으므로 특성의 튜닝을 하기 쉽고 구조가 간단하고 값이 싸다. 반면 단점으로는 고속 작동영역에서 수축 쪽 감쇠력 특성이 불안정하게 되기 쉽고 오일이 밸브를 통과할 때의 분류음이 높아지기 쉽다.

(2) 모노튜브식 가스들이 쇽 업소버

모노튜브식 가스들이 쇽 업소버는 리저버실을 쇽 업소버의 아래 끝에 설치해 놓았으며, 수축 쪽의 감쇠력이 충분히 발생될 수 있을 만큼의 고압(2~3MPa) 의 질소가스가 봉입되어 있어서 프리피스톤은 가스와 오일을 완전히 분리하고 있다. 감쇠력은 신축 모두가 피스톤부의 밸브에서 발생된다. 장점은 오일과 완전히 분리된 고압가스와 봉입되어 있으므로 안정된 감쇠력 특성을 얻을 수 있고 오일의 분류음이 발생하기 어렵다. 반면 단점은 리저버실의 쇽 업소버 아래 끝에 있기 때문에 차에 설치하는 길이가 길어지며 고압의 가스 압력과 또한 동압이 직접 작동하기 때문에 프랙션이 높을 뿐 아니라 구조는 간단하지만 높은 정밀도를 필요로 하는 부품이 많아서 값이 비싸다.

(3) 트윈튜브식 가스들이 쇽 업소버

트윈튜브식 가스들이 쇽 업소버는 연속작동, 고속 작동할 때에 발생하는 캐비테이션을 줄임과 동시에 모노튜브식 쇽 업소버의 결점을 개량한 것이다.

감쇠력의 발생 기구는 신축 양 행정에서 감쇠력을 발생시키는 피스톤부의 밸브기구와 수축행정에서 감쇠력을 발생시키는 베이스 밸브기구로 구성되어 있다. 트윈튜브식 쇽 업소버와 마찬가지로 리저버실은 로드의 진입, 퇴출분의 오일 보상실 이라 할 수 있으며, 비교적 저압(0.5~1MPa)의 질소가스가 봉입되어 있다.

장점은 연속작동이나 고속작동에 있어서 안정된 감쇠력올 얻을 수 있고 오일의 분류음이 발생되기 어렵다. 또한 단점은 수축행정의 감쇠력은 피스톤부의 밸브와 베이스밸브 특성이 짜맞춤 되어 튜닝 하는 데 주의를 필요로 한다.

(4) 서스펜션 스트러트

서스펜션 스트러트는 통형 쇽 업소버를 서스펜션의 하나인 링크멤버로 이용한 것이며 강도부재임과 함께 쇽 업소버의 기능도 겸한 부품이다. 프런트 서스펜션의 경우에는 킹핀의 역할도 한다. 통형 쇽 업소버가 감쇠력 발생 기구별로 트윈튜브식 쇽 업소버, 모노튜브식 쇽 업소버, 트윈튜프식 가스들이 쇽 업소버 3종류로 분류될 수 있는 것과 마찬가지로 분류될 수 있다. 이 가운데 모노튜브식 스트러트는 구조가 복잡해서 값이 비싸, 주로 렐리 등 특수용도에 사용되고 있으며, 일반 차에는 극히 일부에서 사용되고 있다. 그림 3-43는 트윈튜브식 쇽 업소버를 스트러트로 한 것으로써 서스펜션 스트러트의 주류를 차지하고 있다. **그림 3-44**는 트윈튜브식 가스들이 쇽 업소버를 스트러트 한 것이다.

그림 3-43
표준 스트러트

그림 3-44
트윈튜브식
가스들이
스트러트

(5) 쇽 업소버 선정

쇽 업소버의 감쇠력 특성은 주로 차량의 승차감, 조종성, 안정성을 고려하여 결정하지 않으면 안 된다. 승차감과 조종성, 안정성은 서로 상반되는 요인을 지니고 있는 일이 많다. 감쇠력 특성도 그 중의 하나로써 조정성, 안정성을 중시하여 높게 설정하면 승차감을 저해하는 경향이 있으며, 반대로 지나치게 낮으면 불안정하게 되므로 차량의 사양에 맞추어서 양자가 적당하게 조화되도록 특성을 결정하는 일이 관건이다.

쇽 업소버는 신축 양 행정에서 감쇠력을 발생시키는데 이 감쇠력의 비율은 부정지 노면으로부터 쳐올리는 쇼크를 완화하기 위하여 8 : 2부터 6 : 4의 비율로 설정되는 게 일반적이다. 쇽 업소버의 사이즈를 선정하는 기준은 다음과 같다.

① 작동 속도 범위에서 강도 상 문제가 없을 것,

② 안정된 감쇠력을 얻을 수 있을 것,

③ 차량이 주행할 때의 쇽 업소버에 대한 통풍성을 고려하여 흡수된 진동에너지에 의한 유온의 방열에 필요한 표면적을 확보할 것 등 3가지이다.

통형 쇽 업소버의 경우는 온도의 상승에 의한 내구성의 문제를 고려해 사이즈를 선정하지 않으면 안 되는 경우가 많다. 온도상승을 고려하여 사이즈와 감쇠력의 범위를 규정하고 있으므로 이 규정에 따라서 사이즈를 선정하는 것이 바람직하다. 다만 쇽 업소버의 온도상승은 주행방법, 노면의 상황, 냉각풍이 닿는 정도를 비롯하여 설치위치, 외 기온에 의해서도 크게 달라지므로 심한 온도상승이 예측되는 경우에는 자동차의 규격에 규정된 사이즈보다 한 단계 큰 사이즈로 할 필요가 있다.

서스펜션 스트러트의 경우는 그 표면적, 설치 위치의 관계에서 온도상승에 따른 내구성의 문제는 거의 없어 외력의 입력조건에 의한 강성, 강도, 내구성을 고려하여 사이즈를 결정하고 있다. 자동차 규격에서는 표준화를 위한 외통의 외경, 피스톤경, 로드경 등의 치수를 규정하고 있다. 쇽 업소버의 설치는 진동의 절연 및 작동 각에 대한 쇽 업쇼버의 보호를 목적으로 방진고무를 사용하고 있다. 설치부를 선정할 때 주의하여야 할 것은 설치부 자체의 강도, 내구성의 검토 외에 서스펜션이 스트로크 했을 때의 설치부 각 변위에 따라 발생하는 굽힘 모멘트에 대한 고려이다. 큰 굽힘 모멘트가 발생하는 경우는 피스톤로드의 굽힘이나 섭동부분의 마모 등의 문제가 발생한다. 작동 각은 허용범위 내에서 가능한 한 작은 값이 되도록 설계하는 것이 바람직하다.

04 현가장치 튜닝 장착 실무

1 현가장치 튜닝 제원 선정하기

(1) 암 arm

암은 서스펜션 지오메트리를 결정함과 동시에 횡력이나 전후력을 받치는 기능이 있는 서스펜션 부재이다. 보디 쪽, 액슬 쪽으로의 결합은 볼 조인트, 러버부쉬, 필로볼 등으로 이루어지는데 일부에서는 액슬 쪽으로 강결하기도 한다. 재질은 강판프레스 제품이 많지만 단조, 강관 용접구조가 쓰이는 일도 있다.

또 최근에는 스프링 아래의 중량을 경감하기 위하여 알루미늄재의 사용이 증가하고 있다. 암의 구조적에 따른 구분으로, 주로 스트러트형이나 더블위쉬본형의 서스펜션에 사용되는 암이며 보디 쪽으로 2점, 액슬쪽으로 1점의 피봇점이 있는 A형의 3각형으로 구성되는 부재로서 그 형상에서 일반적으로 A형암이라고 한다.

그림 3-45는 FF차의 프런트에 채용된 스트러트 형상 암의 단품 사례이다. 프레스강판제의 본체에 러버부쉬 설치용의 강관 및 단조제의 스핀들이 용접되어 있다.

그림 3-45 스트러트 형상의 암

그림 3-46 스트러트 형상의 암을 짜맞춘 형태

그림 3-46는 그림 3-45의 암을 짜 맞춘 상태를 나타낸다. 로어암의 앞뒤 피봇과 볼조인트를 잇는 L자형으로 된 일체 암에 의하여 암 자체의 강성이 높고, 피봇의 간격이 넓어서 전후력, 횡력을 효과적으로 받치는 구조로 되어 있다. 그림 3-47은 더블 위쉬본 형식의 어퍼 컨트롤 암이다. 횡강성 및 레이아웃 상의 자유도가 많은 알루미늄 단조품 (A)와 코스트 면에서 유리한 강판제 (B)를 같은 차종의 서스펜션의 사양 차이에 따라서 선택해서 쓰고 있다.

81

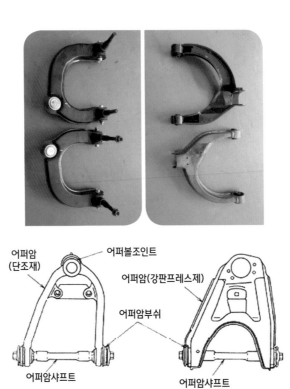

어퍼암
(단조재)

어퍼볼조인트

어퍼암(강판프레스제)

어퍼암부쉬

어퍼암샤프트

어퍼암샤프트

(A)

(B)

그림 3-47 더블 위시본 형식의 어퍼 컨트롤 암

그림 3-48은 더블 위쉬본 형식에 단조제의 어퍼 콘크롤암과 프레스강판성의 로어 콘트롤암과 함께 A형암을 채용한 예이다. 특히 로어 콘트롤암에는 선회할 때나 제동할 때에 큰 하중이 걸리기 때문에 충분한 강성이 있어야 한다. A형암 외에는 풀트레이링 식의 일부나 세미트레이링식에 사용되는 암으로써 보디 쪽을 저변으로 하고 액슬 쪽을 정점으로 하는 약3각형을 형상하는 암이나 그림 3-49와 같은 액슬 쪽으로 2점, 보디 쪽으로 1점의 피봇점이 있는 역 A형암 등이 있다.

코일 스프링과
쇽 업소버

서브프레임

스태빌라이저

세미 트레일링암

▶ 출처 : 한국산업인력공단(2012). 『자동차섀시』 현가장치. 208, 218p

그림 3-48 A형 암

그림 3-49 역 A형 암

(2) 링크 및 로드 link & rod

암이 피봇점을 구성하는 평면 내의 자유도를 구속하는 데 대하여 링크/로드는 통상 양끝이 부시나 볼 조인트 등에 의한 피봇점을 구성하고 축 하중을 지지해서 축방향의 자유도를 구속함으로써 서스펜션 지오메트리를 결정하는 부재이다. 다만, 일부에는 액슬 쪽으로 강결하는 링크류도 볼 수 있으며 회전방향도 구속하는 부재로 쓰이는 일도 있다. 본체는 강판 프레스재, 파이프재, 단조품 등이 쓰이며 용도에 따라서 적합한 것을 선택해 사용한다. 링크/로드류는 배치, 짜 맞춤 부시의 강성 등에 따라 서스펜션 지오메트리를 다양하게 변화시킬 수 있기 때문에 여러 가지 형식의 서스펜션에 쓰이고 있다.

그림 3-50은 4 링크식 리어서스펜션의 어퍼링크와 로어링크이다. 모두가 양끝에 통형의 부시를 밀어 넣은 모양으로써 어퍼링크로는 속이 찬 환봉제 로드, 로어링크로는 파이프제의 로드가 각각 사용되고 있다.

통상적으로는 파이프제의 로드가 강도, 중량 면에서 유리하여 많이 쓰이고 있는데 로드가 비교적 짧고 코스트 면에서 유리하게 되는 경우나 로드의 외경을 작게 하고자 할 때에는 속이 찬 환봉제가 쓰인다. 부시의 외통과 로드와의 접합은 통상 아크용접으로 하는데 로드접합면의 정형가공을 생략하고 코스트 다운을 꾀한 전기저항용접을 채용하는 일도 증가하고 있다.

그림 3-51은 볼 조인트 일체형의 링크이다. 본체는 강성이 높은 H형 단변 형상의 단조제이며 보디 쪽 설치부에 밀어 넣어진 부시에는 금속제의 중간 파이프를 내장하고 차량의 좌우방향의 강성을 높여서 횡 방향으로부터의 입력에 의한 지오메트리변화를 줄임으로써 조종안정성을 높이고 있다.

그림 3-50 **4 링크식 리어서스펜션의 어퍼링크 로어링크**

그림 3-51 **볼 조인트 일체형 링크**

그림 3-52는 스트러트식 서스펜션의 로어 링크이며 프레스강판제의 본체에 볼 조인트와 부시를 밀어 넣고 있다. **그림 3-53**은 스트러트식 리어서스펜션의 라테럴 링크이다. 프레스강판제의 본체에 용접된 턴버클식의 링크길이 조정기구는 차량탑재상태에서 토 조정을 할 수 있다.

그림 3-52 스트러트식 서스펜션의 로어 링크   **그림 3-53 스트러트식 리어서스펜션의 라테럴링크**

(3) 멤버 및 프레임 member & frame

서스펜션이나 파워트레인을 프레임에 장치하고 그 프레임을 보디에 결합하는 방법을 서브프레임 방식이라고 한다. 서브프레임을 서스펜션 멤버라고도 하며 서스펜션을 설치하기 위한 크로스멤버도 같은 종류의 부재이다. 서브프레임은 서스펜션이나 파워트레인으로 부터의 진동, 소음을 차단함과 동시에 암이나 링크를 직접 보디에 설치하지 않기 때문에 보디 강성의 영향이 적어 서스펜션 피봇부의 강성을 높일 수 있으므로 적정한 지오메트리 특성을 얻기 쉽다.

또 조립라인에서의 서스펜션을 탑재할 때 작업효율의 향상이나 설치 정밀도의 향상에도 유용하다. 그러나 중량이나 비용 증가로 이어지게 되어 주로 고급차나 스포츠카에 사용되는 경우가 많다. 서브프레임을 보디에 설치하는 방법에는 볼트로 체결하는 경우와 중간에 러버 부위를 끼우는 방법이 있다.

직접 체결하는 타입은 주로 보디 쪽의 강성을 향상시키고 피봇점의 정밀도를 확보하는 것이 목적이다. 한편 러버부시 방식은 체결타입의 효과와 아울러 보디로의 변위입력을 저감시킴과 동시에 서브프레임의 중량을 이용해서 진동 및 소음을 효과적으로 차단하는 것을 목적으로 하고 있다. 다만, 서브프레임 자체의 공진이 진동 및 소음에 좋지 않은 영향을 미치는 경우가 있으므로 충분히 검토해서 설치할 필요가 있다.

(4) 서스펜션 마운트 러버 suspension mount rubber

서스펜션 마운트 러버는 쇽 업소버 및 코일스프링을 보디로 지지하고 차륜으로부터의 진동 및 충격을 막아내는 역할을 하고 있는 기능부품이다. 맥퍼슨 스트러트식 서스펜션에 많이 사용되고 있기 때문에 스트러트 마운트라고도 한다.

다음 그림들은 서스펜션 마운트 러버의 설치사례를 나타낸다. 차량에 탑재할 때의 주 하중 입력방향은 축(전단) 방향이며 요구되는 스프링 특성은 차종에 따라서 달라 형상도 여러 가지로 고안되고 있다. 그러나 설치하는 데 있어서 기능상으로는 어느 것이나 고무의 형상이 거의 원통형이다.

그림 3-54 서스펜션 마운트 러버

(5) 스태빌라이저 (안티롤바) stabilizer & anti-roll bar

안티롤바는 차체가 롤 했을 때에 발생하는 좌우륜의 스트로크 차이에 따라 스프링 작용을 일으키게 하는 보조스프링으로써, 롤의 감소와 전 후륜의 롤 강성 비를 바꿈으로써 스티어 특성을 컨트롤하는 데 쓰이고 있다. 안티롤바는 E 자형으로 굽힌 강봉의 중앙부를 토션바로 사용하고 좌우양륜이 동시에 오르내리는 경우에는 스프링 작용을 일으키지 않도록 설치하여 양륜의 스트로크에 차가 생겼을 때에는 바의 비틀림에 의해서 강성을 높인다. 전륜의 안티롤바의 스프링상수를 증가시키면 언더스티어를 강화시키고, 후륜의 안티롤바의 스프링상수를 증가시키면 언더스티어를 약화시키는 작용을 한다.

　아래 그림들은 그 대표적인 구조로, 중앙부 차체 쪽으로는 회전이 자유롭게 되도록 일반적으로는 고무부위를 사용하여 설치하고 현가 암 쪽으로는 커네팅 로드를 써서 고무로 마운트하거나 볼 조인트를 쓴다. 안티롤바의 스프링상수는 위에서 말한 바와 같이 차체 전체의 롤 강성과 전 후륜의 롤 강성배분을 고려해서 정해진다. 안티롤바의 피로강도는 좌우륜이 각각 바운드 쪽, 리바운드 쪽 최대 스트로크일 때의 응력진폭으로 평가된다.

　따라서 같은 형상이라면 재료직경을 굵게 하면 수명은 내려가게 되는데 롤강성과 차륜의 거동과의 관계에 반드시 적용되지 않는 경우가 있어 정확한 강도설계는 어려운 일이다.

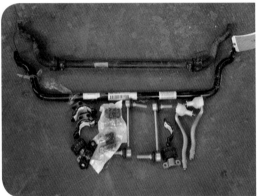

그림 3-55 스태빌라이저(안티롤바)

　안티롤바는 일반적으로는 스프링상수와 형상이 먼저 정해지는 강성설계로, 설계응력에 알맞은 적정한 재료를 선정해야 하는데, 사용응력이 높은 안티롤바에는 스프링강(SUP9, 9A)이, 사용응력이 낮은 안티롤바에는 탄소강(S48C)이 사용되며 필요에 따라서 숏피닝을 하고 있는 것도 있다. 또 경량화 목적으로 속이 빈 재료를 사용한 안티롤바도 많이 쓰이고 있다.

(6) 범프 스토퍼 bump stopper & jounce bumper

　범프 스토퍼는 맥퍼슨 스트러트타입 등 속 업쇼버의 로드, 세미 트레일링의 암 및 리프스프링 등에 설치하여 새시와 보디의 간섭방지 및 차륜에서 보디로의 충격 하중을 흡수하는 역할을 한다. 구조적으로는 설치되는 기구상 및 장소에 따라서 여러 가지 형상이 있다. 아래 그림은 쇽 업소버 로드로의 설치사례를 나타낸다. 재질은 천연고무계가 쓰이고 있는데 발포우레탄재료도 많이 사용되고 있다.

그림 3-56 범프 스토퍼

2 현가장치 튜닝 제작하기

(1) 코일 스프링 제작

코일스프링의 성형방법에는 열간과 냉간이 있으나 주로 열간 성형이 많으며 사용되고 있는 강종은 SUP 7, SUP 12 등의 저합금강인데 Ni, M, V 등의 첨가를 통한 강인화를 꾀하여 고응력화·경량화하는 작업을 한다. 고온에 가열된 소재는 홈 부착 리드 스크류를 가이드로 하여 평활한 리드 스크류에 코일링 한다.

그 후 리드 스크류를 스프링에서 빼고 코일링된 스프링을 담금질 유조에 투입, 담금질한 다음, 스프링의 표면층에 압축잔류 응력을 부여하기 위해 회전하는 두 개의 롤러 위에 놓은 스프링은 회전하면서 쇼트피닝이 된다. 쇼트피닝 후에는 사용 최대하중을 넘는 압축하중을 부하한다. 이것을 세팅이라 한다. 스프링의 탄성한계를 올려 스프링의 느슨함을 적게 하기 위한 공정이다. 이후 도장 공정을 거쳐 전수하중시험을 하여 완성품이 된다.

이런 것들의 공정 외에 사용 중인 스프링의 내느슨성을 개선하기 위해 뜨임 직후의 온간상태에서 세팅하는 홋세팅도 보급되어 왔다. 또한 냉간성형의 스프링은 소정의 인장강도에 열처리된 오일템퍼선을 사용하여 코일링머신으로 성형하고 **저온 풀림** Annealing을 시킨다. 이후의 쇼트피닝 공정은 열간성형의 경우와 동일하다.

(2) 판스프링 제작

판스프링용의 재료로는 SUP6,9, 9A, 10, 11A 등을 사용하고 있다. 주요 판단가공으로서는 스프링아이 감기, 2번 감기 (3/4 감기, 1/4 감기), 3각 끊기, 다보구멍가공, 클립용 구멍가공, 테이퍼 가공 등이 있다. 테이퍼가공은 원형단면의 롤과 어묵판형의 다이스가 부착된 롤로 압연한다. 페이퍼 길이가 전체 길이에 걸친 테이퍼리프의 가공은 폭을 좁히는 압연을 하고 나서 테이퍼 압연을 하는 방식이나 폭이 넓어지는 것을 억제하기 위해 소경의 워크 롤을 사용하여 한쪽씩 압연하는 방식 등이 있다. 판단 가공된 리프는 성형 및 담금질을 위해 가열이 된다.

일반적으로는 담금질 형에 프레스하면서 담금질하는 프레스담금질 방식이 보통 이지만 카빙롤 또는 프레스 등으로 성형한 후 풀리담금질이나 구속담금질을 하는 경우도 있다. 또 카빙롤성형은 소성의 형상을 가진 형판과 함께 롤러사이를 통과시켜 성형하는 방법이다. 그리고 뜨임시키든가 리프의 한쪽 면(텐션사이드)에는 쇼트피닝이 시공된다. 이 가공에는 리프를 세로로 이송하는 방식과 가로로 이송하는 방식이 있다. 또 텐션사이드에 미리 인장응력을 부하한 상태로 처리하고 높은 압축잔류응력을 얻는 스트레스피닝도 내구성 향상을 위해 사용된다.

가공된 리프는 조립 전에 1번 리프에는 스프링 아이부에 부시압입, 폭 마무리 등을 하고, 2번 리프 이하에서는 클립의 부착, 사이렌서의 첨부 등이 이루어진다. 금속부시나 내외통부착 고무부시를 압출하는 작업은 압력이 부족하든가 과대하면 사용 중에 빼든가 부시의 변형이나 스프링 아이부에 큰 응력이 발생하므로 적정한 압력으로 압연한다. 일반적으로는 압입 전에 스프링 아이 내경에 리머가공을 하든가, 금속부시에서는 압입 후에 리머가공을 한다. 조립 완료한 판스프링은 세팅, 도장 공정을 거쳐 전수하중시험을 한다.

(3) 쇽 업소버 제작

여기서는 일반적으로 많이 쓰이는 복동식의 쇽 업소버 및 마크파 수스트랫에 대하여 설명한다. 스트랫에 사용되는 피스톤로드는 강도부재로써 쇽 업소버, 스트랫의 구성부품 중에서도 가장 중요한 것이다. 또 항상 섭동을 반복하는 부품인 만큼, 그 내마모성, 방청력에 관한 외경 마무리면 조도, 도금 두께, 도금 전 외경도 등의 팩터 관리가 중요하다. 외경마무리 공정은 종래부터 사용되고 있는 초마무리 외 탄성 숫돌에 의한 연삭, 바프연마, 필름 연마 또는 이것들의 조합에 의해 외경 내마모성과 방청력을 확보하고 있다. 다음은 밸브 조립으로서 밸브조립에서 가장 중요한 것은 각 구성부품의 세정이며, 세정이 충분하지 않으면 조립 후 감쇠력 불량의 원인이 된다.

조립공정 자동화의 방법으로는 파츠피더와 인텍스머신에 의한 전자동타입이 많다. 이어서 리저버튜브를 조립하는데 리저버튜브는 전봉강관에 구성부품을 용접하여 용기로 조립한다. 용접공정은 종래의 CO_2 용접에서 아르곤가스를 사용한 용접으로 바뀌고 용접속도의 고속화와 스패터 부착 방지를 꾀하고 있다. 최종 조립공정은 리저버튜브에 각 구성부품을 삽입하고 오일을 봉입하여 감쇠력 측정을 하고 속 업쇼버로써의 기능을 보증하고 제작한다. 여기에서도 밸브 조립과 마찬가지로 리저버튜브 내부의 세정도 및 오일의 청정도가 중요하다.

(4) 볼 조인트 제작

독립현가식의 프런트 서스펜션이나 리어 서스펜션의 일부에 사용하는 볼 조인트는 중요보안부품으로, 품질 보증에 대해 충분히 고려한 공정으로 생산된다. 먼저 소켓은 열간 단조, 냉간 단조, 프레스성형, 주조 등으로 소형재를 만들고 절삭가공을 가하고 있다. 재료와 열처리의 관리가 중요하다.

또한 볼스태드는 냉간 단조품에 기계가공을 한 것이 주류를 이룬다. 볼 시트는 폴리아세탈이나 폴리에스테르 에라스트머 등의 합성수지에 스프링작용을 갖는 구조가 늘고 있다.

(5) 암, 링크 제작

암이나 링크는 주로 강판, 강관, 주철, 알루미늄합금으로 만들어져 있고 공법은 사용되는 재료에 따라 가장 적당한 것을 선택할 필요가 있다.

암, 링크 제작 공정을 보면, 강판 또는 강관의 용접에서 강판의 경우는 대부분 탄산가스 아크 용접을 사용하고 용접으로서는 어렵지 않으나 용접 열에 의한 변형에 대해서는 정도를 확보하기 위한 고려가 충분해야 한다. 즉, 입열을 안정시키는 동시에 용접순서나 지그를 연구하여 변형을 컨트롤하는 것이 중요하다. 또 용접부위의 프레스패널의 맞춤도 중요하며 틈새를 일정량으로 억제하는 것도 정도를 확보하는 데에 중요하다. 강관의 경우는 탄산가스 아크용접 외에 저항용접도 사용한다.

볼 조인트 압입에는 유압프레스, 체결에는 너트러너가 사용된다. 그리고 부시의 압입에는 형상에 맞춘 지그를 사용하고 부시가 가진 특성을 손상하지 않도록 한다. 압입을 용이하게 하기 위해 압입부에 윤활제를 도포하는 예도 있으나 외통이 없는 부시의 압입의 경우는 고무의 파손방지를 위해 반드시 도포해야 한다. 부시는 그 자체로 승차감이나 조종안정성에 크게 영향을 미치기 때문에 형상, 고무 재질 등 여러 가지 면을 고려해야 한다. 형상도 외통이 있는 것과 그렇지 않은 것 외에 중간에 통을 넣은 2중 구조나 **피로볼**pillow ball 등이 사용되고 있다. 또한 암이나 링크는 거의 대부분 중요 보안 부품으로 지정되어 있으며 확실한 품질관리가 요구된다.

③ 현가장치 튜닝 장착하기

현가장치의 구성품으로는 스프링, 쇽 업소버, 각종 컨트롤–암, 부시, 안티롤–바가 있으며 기능은 스프링은 차체의 하중지지, 노면으로부터의 충격 흡수, 노면 접지력 유지하고 쇽 업소버는 스프링 진동수 감쇠하며 컨트롤 암은 타이어의 전후좌우 움직임 억제, 차체에 대한 타이어 위치 결정한다. 또한 부시는 차체와 컨트롤 암 연결, Compliance 기능을 가지며 안티롤 바는 차체의 롤링을 억제한다.

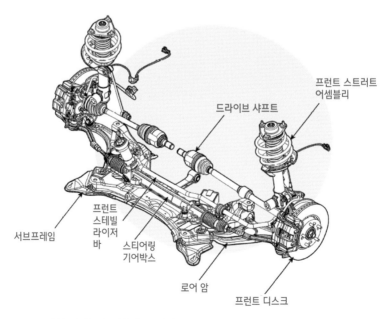

프런트 스트러트 어셈블리

드라이브 샤프트

프런트 스테빌 라이저 바

서브프레임

스티어링 기어박스

로어 암

프런트 디스크

▶ 출처 : 서비스정보기술팀(2013). 『YF 소나타 정비지침서』. 현대자동차(주)

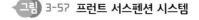 그림 3-57 **프런트 서스펜션 시스템**

4 현가장치 어셈블리 장착하기

(1) 프런트 스트러트 어셈블리 장착 작업 순서

① 프런트 스트러트 어셈블리 마운팅 너트를 장착한다.

② 프런트 스트러트 어셈블리의 착색부분이 차량 바깥 부분으로 향하도록 조립한다.

③ 프런트 스트러트 포크와 로워 암 커넥터를 결합한다.

그림 3-58 **프런트 스트러트 어셈블리 교환 장착**

④ 포크에 프런트 스태빌라이저 바 링크를 체결토크로 장착한다.

⑤ 스피드센서 체결볼트를 장착한다.

⑥ 스트러트 어셈블리와 프런트 액슬 어셈블리에 브레이크 호스와 스피드 센서 케이블, 그리고 브래킷 체결볼트를 장착한다.

그림 3-59 **프런트 허브 구성품 조립**

(2) 프런트 로어 암 장착 작업 순서

그림 3-60 **장착된 로어 암**

① 프런트 로어 암을 마운트할 볼트를 장착한다.

② 체결토크 14~16kgf.m으로 부싱을 결합한다.

③ 포크와 로어 암 커넥터를 장착해준다. 이때 체결토크는 14~16kgf.m 수준으로 한다.

④ 프런트 로어 암 볼 조인트 체결볼트를 10~12kgf.m으로 결합한다.

⑤ 9~11kgf.m의 체결토크로 프런트 휠과 타이어를 프런트 허브에 장착한다.

(3) 프런트 스태빌라이저 바 장착 작업 순서

① 스태빌라이저 바에 부싱을 장착시킨다.

② 프런트 스태빌라이저 바의 클램프와 부싱을 밀착시켜둔다.

③ 한쪽의 브래킷을 간이 조립하고, 반대쪽의 부싱을 완전히 설치한 뒤 앞서 설치한 부싱과 모든 부싱을 설치한다.

④ 서브 프레임 리어 마운트를 담당하는 볼트를 조립한다.

⑤ 서브 프레임에 양쪽 브래킷을 장착한다.

⑥ 스태빌라이저 링크를 좌우측 모두 결합시킨다.

⑦ 프런트 허브에 프런트 휠 및 타이어를 장착시킨다.

⑧ 휠 얼라인먼트를 점검한다.

(4) 리어 스트러트 어셈블리 장착 작업 순서

① 리어 쇽 업소버 로드를 최대한 당기고, 리어 범퍼와 더스트 커버를 조립한다.

② 리어 쇽 업소버 마운틴 볼트를 2개 모두 체결토크 5~6.5kgf.m 정도로 조립해준다.

③ 리어 액슬 어셈블리에 쇽 업쇼버 어셈블리를 장착한다.

④ 체결 볼트의 체결 토크는 14~16kgf.m 정도로 한다.

⑤ 리어 휠과 타이어를 리어 허브에 9~11kgf.m 체결토크로 장착한다.

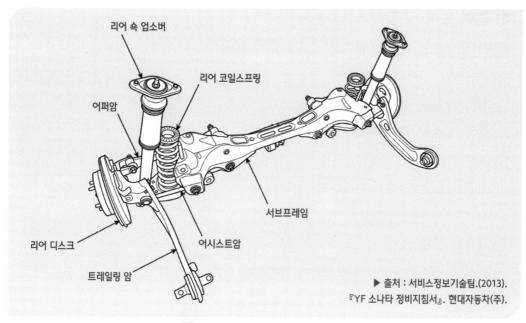

리어 쇽 업소버

리어 코일스프링

어퍼암

서브프레임

리어 디스크

어시스트암

트레일링 암

▶ 출처 : 서비스정보기술팀.(2013).
『YF 소나타 정비지침서』. 현대자동차(주).

그림 3-61 **리어 서스펜션 시스템**

(5) 리어 어퍼 암 장착 작업 순서

① 리어 어퍼 암 마운팅 볼트 2개를 리어 크로스멤버에 장착시킨다.

② 리어 액슬 어셈블리에 리어 어퍼 암 볼 조인트 어셈블리 체결너트를 장착하고, 분할 핀을 끼워준다.

③ 리어 크로스멤버를 결합시킨다.

④ 트레일링 암과 리어 쇽 업소버를 리어 액슬 어셈블리에 장착한다.

⑤ 브레이크호스, 주차 브레이크 케이블, 휠 스피드 센서를 장착한다. 이때 ECS 장착 차량은 ECS 커넥터와 브래킷을 장착해준다.

그림 3-62 **리어 로어 암**

(6) 리어 로어 암 장착 작업 순서

① 리어 어퍼 암 마운트 볼트를 리어 크로스 멤버에 장착한다.

② 리어 액슬 어셈블리에 리어 어퍼 암 볼 조인트 어셈블리 체결너트를 장착하고, 분할 핀을 결합한다.

③ 리어 크로스 멤버를 장착한다.

④ 트레일링 암, 리어 쇽업쇼버를 리어 액슬 어셈블리에 장착한다.

⑤ 브레이크 호스, 주차 브레이크 케이블, 휠 스피드 센서를 장착시킨다. 이때 ECS 장착 차량은 커넥터와 브래킷을 장착시킨다.

⑥ 머플러를 장착한다.

⑦ 리어 휠 및 타이어를 리어 허브에 결합한다.

⑧ 휠 얼라인먼트를 점검한다.

(7) 리어 어시스트 암 장착 작업 순서

① 리어 크로스 멤버의 어시스트 암 체결볼트를 장착시킨다.

② 리어 액슬 어셈블리측 어시스트 암 체결볼트를 조여 장착한다. 이때 ECS 장착 차량의 경우 어시스트 암을 먼저 장착한 뒤 ECS 와이어링을 브래킷에 장착한다.

③ 리어 휠 타이어를 리어 허브에 장착한다.

④ 휠 얼라인먼트를 점검한다.

(8) 트레일링 암 장착 작업 순서

① 양측 볼트를 공차 상태에서 규정 토크로 체결시킨다.

② 차체측 트레일링 암 브래킷 볼트와 너트는 14~16kgf.m의 체결토크로 결합한다.

③ 리어 액슬 어셈블리 트레일링 암 볼트는 14~16kgf.m 정도 체결토크로 결합한다.

④ 휠 스피드 센서 브래킷을 장착시킨다.

(9) 리어 스태빌라이저 바 장착 작업 순서

① 리어 스태빌라이저 바에 부싱을 장착시킨다.

② 리어 스태빌라이저 바에 클램프와 부싱을 밀착시킨다.

③ 한쪽의 스태빌라이저 바 브래킷 체결볼트를 손으로만 체결한다.

④ 한쪽의 브래킷을 약한 토크로만 조여둔 상태로 반대편 부싱을 완전히 설치한다.

⑤ 좌우 스태빌라이저 바 브래킷 체결볼트를 완전 결합한다.

⑥ 좌우측 리어 스태빌라이저 링크 셀프 록킹 너트를 장착시킨다. 이때 체결 토크는 3.5~4.5kgf.m 정도로 한다.

⑦ 리어 휠과 타이어를 리어 허브에 9~11kgf.m 정도의 토크로 장착시킨다.

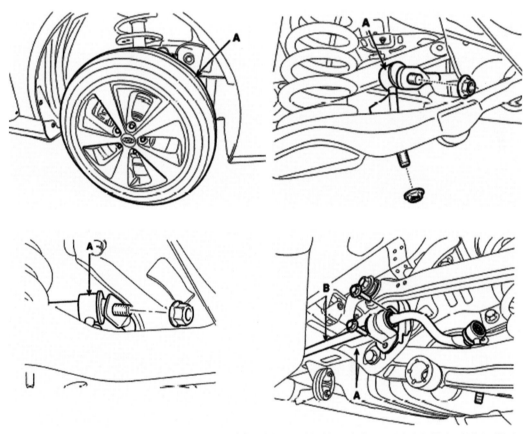

▶ 출처 : 서비스정보기술팀.(2013). 『YF 소나타 정비지침서』. 현대자동차(주).

그림 3-63 리어 스태빌라이저 바 탈거하기

05 현가장치 튜닝 시험

1 서스펜션 강성 시험하기

실제 주행 중인 차량의 타이어에는 상하방향 하중 외에 앞뒤방향 힘 및 횡방향의 힘이 작용하고 있기 때문에 서스펜션 암이나 이것을 지탱하는 서스펜션 멤버와 차체 사이에는 고무 부시를 사용하는 일이 많다. 또한 서스펜션 암 단체나 바디의 설치부도 어느 정도 하중을 받으면 변형된다. 이러한 하중에 대한 휨 및 타이어 강성을 포함한 서스펜션의 강성은 조종성 안정성의 측면에서는 높은 것이 바람직하나 진동, 소음, 승차감에 나쁜 영향을 줄 때가 많다.

가장 대표적인 것에는 타이어 접지 지점에 횡 방향력 혹은 전후 방향력을 가했을 때 토각 및 캠버각의 변화가 있다. 계측 파라미터로는 토각, 캠버각, 전후방향 변위, 좌우방향 변위 및 횡방향 하중, 전후방향 하중이 있다.

측정방법은 기어를 단단히 고정한 상태에서 터닝 레디어스 게이지 위치 타이어 접지점에 유압식 가진기 등으로 횡방향력 혹은 전후 방향력을 가해 입력의 크기에 대한 토각, 캠버각의 변화를 검출한다.

주의사항은 토우, 캠버의 변화량은 아주 작기 때문에 차체가 움직이지 않도록 유의해야 하며 실제 주행상태를 보다 정확하게 재현하기 위해 횡력과 전후력을 합성해서 입력하거나 차체를 롤 시켜 서스펜션을 변위시킨 상태에서 측정하는 방법도 있다. 그러나 실제의 주행에서는 타이어와 노면 사이의 마찰력이 접지면 중심에서 뉴메틱 트레일만큼 변의해서 타이어에 가해지므로 정적으로 구한 얼라인먼트 변화와는 미묘하게 다르다.

2 롤 센터, 롤 강성 시험하기

롤 센터는 서스펜션 링크 구성에 따라 결정되는 기하학적인 롤의 순간 중심이다. 기어를 고정한 상태로 휠의 상하 스트로크에 대한 타이어 접지점의 좌우방향 변위량을 계측함으로서 타이어 접지점의 차체에 대한 정면도에서의 궤적이 얻어진다. 접지점 궤적 상의 정지 상태에서의 위치에서 접선을 그으면 순간중심이 존재한다. 좌우 바퀴에 대해서 타이어 접지점의 궤적을 계측하고 좌우 개개의 궤적에 대해 접선에 수직한 직선을 그은 상태에서 2개의 직선의 교점이 기어의 순간중심, 즉 롤센터가 된다. 롤센터는 앞뒤바퀴

개개의 서스펜션 고유의 것이며 고정된 점이 아니라 롤 바운스에 의해 서스펜션 링크가 이동하면 롤센터도 이동한다.

롤강성은 좌우 반대방향의 상하방향 하중을 좌우 바퀴에 가해서 바퀴의 상하 변위량과 트레드에서 산출한 롤각에 대한 복원 모멘트의 값으로 표시된다. 계측 파라미터는 서스펜션의 상하 스트로크 양과 이것에 대한 타이어 접지점의 횡변위량이다. 롤강성은 좌우 바퀴의 상하 스트로크 양과 이것에 대응하는 좌우의 하중 변동을 계측한다. 차체를 고정한 상태에서 휠을 상하 방향으로 스트로크시켜 스트로크량에 대응한 타이어 접지점의 좌우 방향 변위량을 계측한다. 롤강성 측정은 좌우 바퀴를 상하 반대 방향에서 상시 좌우의 하중 합계값이 일정하게 되도록 스트로크시켜서 하중 변동과 휠 스트로크에서 롤 모멘트를 산출한다. 실제 주행상태에서의 롤강성을 평가하기 위해 정상 원 선회 시험을 하고 구심 가속도의 증가에 대한 롤각 변화를 측정하고 롤율을 구할 수도 있다.

3 휠 레이트 시험하기

휠 레이트 측정은 서스펜션의 스트로크 양과 바퀴 하중의 정적 관계를 구하는 시험이다. 휠 레이트란 바퀴 위치에서의 현가 스프링 정수로서 서스펜션 레이트라고도 한다. 스트러트 타입의 경우 휠의 스트로크 양과 스프링의 스트로크 양은 같다. 하지만 더블위시본의 경우 롤센터에서 스프링 중심과 타이어 중심과의 거리가 다르기 때문에 같은 각을 회전하여도 움직인 스트로크는 다르게 된다. 따라서 같은 스프링 정수(rate)의 스프링을 채택해도 스트러트 타입보다 더블 위시본의 휠 레이트는 적어져 부드러운 승차감을 가지게 된다. 계측 파라미터는 휠 스트로크 양 및 바퀴 하중으로 한다. 측정 시, 스테빌라이져가 달린 서스펜션이나 토션 빔 서스펜션인 경우 좌우 바퀴의 스트로크에 차이가 있으면 하중 변동이 서로 간섭하기 때문에 스테빌라이져를 탈거하거나 좌우 동시에 휠을 스트로 시키면서 측정해야 하는 점에 주의해야 한다.

4 고유 진동 시험하기

차량의 고유진동수 감쇠비 등의 진동 특성은 조종 안정성만이 아니라 승차감 성능을 좌우하는 중요한 요소이며 스프링 위 질량, 스프링 및 질량 및 휠 레이트 특성, 엔진 마운트 스프링 특성 등의 영향을 받고 엔진 질량, 엔진 마운트 스프링 특성 등과 관계될 때도 있다. 전통적 특성 시험은 타이어를 포함한 서스펜션계 시험이 대표적이며 이것은 주로 노면의 요철 등으로 발생하는 상하 방향의 강제력을 가해 진동 특성을 측정하는 것이다. 계측 파라미터로는 변위, 속도, 가속도에 대해서 실시하나 스프링 상부, 스프링 하부의 상하 가속도를 측정하고 감쇠비 또는 진폭비와 고유 진동수를 구할 때가 많다.

5 현가장치 부품별 검사하기

(1) 프런트 스트러트 어셈블리 검사하기

① 특수공구를 사용하여 스프링 에 약간의 장력이 생길 때까지 스프링을 압축한다.

② 스트러트에서 셀프 록킹 너트를 탈거한다.

③ 스트러트에서 인슐레이터, 스프링 시트, 코일 스프링 및 더스트커버 등을 탈거한다.

④ 스트러트 인슐레이터 베어링의 마모 및 손상 여부를 점검한다.

⑤ 고무 부품의 손상 및 변형여부를 점검한다.

⑥ 스트러트 로드 (A)의 압축과 인장을 반복하면서 작동 간에 비정상적인 저항이나 소음이 없는지 점검한다.

⑦ 조립은 분해의 역순으로 진행한다.

그림 3-64 프런트 스트러트 어셈블리 검사

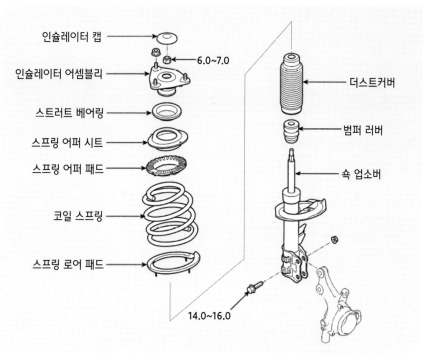

▶ 출처 : 서비스정보기술팀.(2013). 『YF 소나타 정비지침서』. 현대자동차(주).

그림 3-65 프런트 스트러트 어셈블리 구성부품

(2) 프런트 로어 암 점검하기

① 부싱의 마모 또는 노화 여부를 점검한다.

② 로어 암의 휨 또는 손상 여부를 점검한다.

③ 볼 조인트 더스트 커버의 균열 여부를 점검한다.

④ 모든 볼트를 점검한다.

(3) 프런트 스태빌라이저 바 검사하기

① 스태빌라이저 바 부싱의 손상 유무를 점검한다.

② 스태빌라이저 링크 볼 조인의 손상 유무를 점검한다.

(4) 리어 스트러트 어셈블리 검사하기

① 고무 부품의 손상 및 변형 여부를 검사한다.

② 리어 속 업쇼버 로드(A)의 압축과 인장을 반복하면서 작동 간에 비정상적인 저항
이나 소음이 없는지 검사한다.

(5) 리어 어퍼 암 검사하기

① 부싱의 마모 및 노화 상태를 점검한다.

② 리어 어퍼 암의 휨 또는 손상 여부를 점검한다.

③ 모든 볼트를 점검한다.

(6) 리어 로어 암 검사하기

① 부싱의 마모 및 노화 상태를 점검한다.

② 리어 로어 암의 휨 또는 손상 여부를 점검한다.

③ 코일 스프링의 변형 또는 손상 여부를 점검한다.

④ 스프링 패드의 손상 또는 노화 여부를 점검한다.

(7) 리어 어시스트 암 검사하기

① 부싱의 마모 및 노화 상태를 점검한다.

② 리어 어시스트 암의 휨 또는 손상 여부를 점검한다.

③ 볼 조인트 부분의 손상 여부를 점검한다.

④ 모든 볼트를 점검한다.

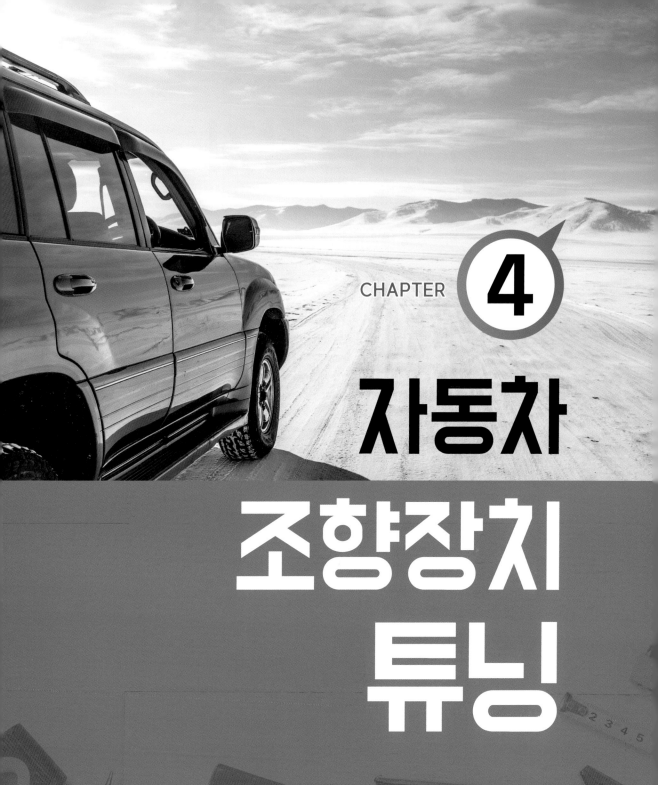

CHAPTER **4**

자동차

조향장치
튜닝

4 CHAPTER

조향장치 튜닝

조향장치 튜닝 개론

1 조향장치 개요

자동차는 타이어를 통하여 노면에 힘을 전달해서 선회운동을 한다. 운전자가 운전석에서 조향장치를 조작함에 따라 전륜, 후륜을 움직여 컨트롤되는 방식이다.

조향장치를 통해 스티어링 휠로부터의 핸들링 토크와 회전변위를 스티어링 기어에 의해 큰 힘으로 변환해서 링크기구를 통하여 킹핀 둘레 차륜의 회전으로 변환시키는 경로를 거치게 된다.

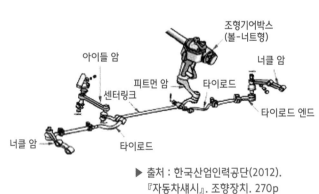

▶ 출처 : 한국산업인력공단(2012).
『자동차섀시』. 조향장치. 270p

그림 4-01 **독립차축식 조향 링크기구**

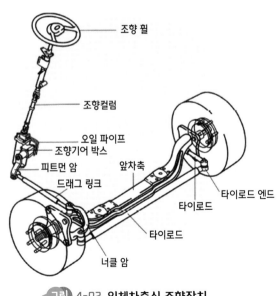

그림 4-02 **일체차축식 조향장치**

(1) 스티어링 기어

스티어링 기어는 스티어링 샤프트의 회전을 감속해서 섹터샤프트를 회전시켜 그에 따라 작동하는 피트먼암의 선단에 소요되는 변위를 얻는다. 또는 샤프트의 회전을 래크의 직선운동으로 변환하여 소요의 변위를 얻기도 한다. 스티어링 기어에는 다음과 같은 사항들이 기본적으로 요구된다.

① 조향력이 적절할 것
② 조향력, 보타력이 모두 노면반력과 밀접한 관계를 느끼게 할 것
③ 차량의 전타로부터의 복원력을 저해하지 않을 것
④ 노면으로부터의 충격력을 적절하게 완화시킬 것
⑤ 주행 중에 만나는 모든 사물이나 현상에 대하여 완전히 안전할 것

(2) 파워스티어링

파워스티어링(이하 PS라고 한다) 장치란 조향력을 경감하기 위하여 배력장치를 갖춘 스티어링 시스템이다. PS는 다음과 같은 여러 기능이 요구된다.

① 조타력의 경감   ② 페일세이프
③ 조타의 번잡스러움 경감   ④ 조타에 적절한 반력의 피드백
⑤ 킥백의 경감   ⑥ 조타의 매끄러움
⑦ 이상하중에 대한 시스템의 보호   ⑧ 소리 및 진동 발생 억제

(3) 스티어링 링크

스티어링 링크는 전차축의 현가장치 형식에 따라, 혹은 배치상의 공간적 조건에 따라, 여러 가지 형식이 있다. 링크 장치가 갖추지 않으면 안 되는 기능으로서는 차량이 선회할 경우 내외륜의 조향각이 적절한 관계를 갖고 있어야 하며, 이에 링크 배치는 이런 관계를 만족시키도록 고려해서 배치될 필요가 있다. 또한 주행 중 차량에 작용하는 상하하중의 변동 때문에 현가장치와 조향장치 사이에 간섭이 일어나므로 양자의 관계를 잘 파악해서 간섭을 줄일 수 있게 배치할 필요가 있다.

2 조향장치의 종류

조향장치는 그림과 같이 크게 수동 조향장치와 동력조향장치로 분류할 수 있다.

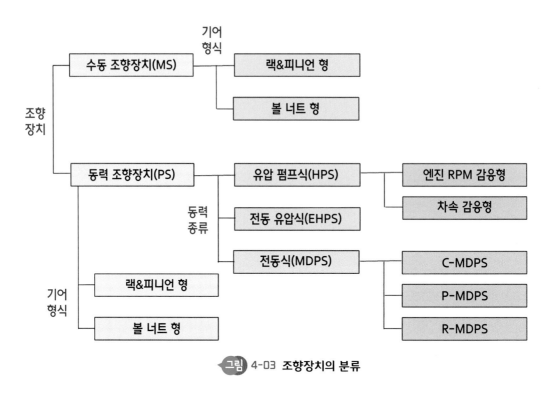

그림 4-03 조향장치의 분류

(1) 동력 조향 여부에 의한 분류

동력 사용 여부에 따라 수동 조향장치와 동력 조향장치로 분류할 수 있다. 최근의 차량은 거의 동력 조향장치를 채택하고 있다. 수동 조향장치의 조타력을 증대시키기 위해서 휠 얼라인먼트 요소값과 **오버롤 스티어링 기어비**overall steering gear ratio를 조정하는 방법을 취하고 있다.

(2) 동력원 종류에 의한 분류

파워 스티어링의 동력원은 전통적으로 엔진의 힘을 이용한 유압 펌프식을 사용했지만 최근에는 연비 향상과 공해물질 저감을 위해 모터식 채택이 증가하고 있는 추세다.

모터식에는 모터로 유압을 발생시키는 EHPSElectric Hydraulic Power Steering 방식과 모터로 스티어링 컬럼 및 피니언이나 랙을 작동시키는 MDPSMotor Driven Power Steering 방식이 있다.

EHPS 방식은 유압을 발생시키는 동력원만 모터로 사용할 뿐 나머지 장치들은 유압식과 동일하게 사용한다. 하지만 핸들 조향 시에만 모터가 유압을 발생시키기 때문에 엔진이 항상 유압펌프를 작동시키는 전통적인 유압펌프식보다 연비가 향상되는 효과가 있으나 가격이 비싸고 설계 자유도가 떨어지는 단점이 있어 많이 채택되지는 않는 방식이다.

(3) 조향 기어의 형식에 의한 분류

웜과 섹터 사이에 볼을 넣어 마찰을 대폭 감소시킨 웜섹터 볼너트 식은 간단히 볼너트형 또는 볼 스크류 식이라고도 부른다. 파워 스티어링이 보편화 되면서 승용차 및 소형 화물차에는 사용되고 있지 않으며 중대형 화물차에 주로 사용되고 있다.

랙&피니언 방식의 스티어링 기어는 높은 강성과 경량이라는 장점으로 대부분의 승용차와 소형 화물차에 적용되고 있다. 하지만 일반적으로 역효율이 높기 때문에 킥백, 또는 시미에 약하다.

(4) 차속 감응 여부에 의한 분류

조향 시 조향륜은 스크러브 반경의 원 궤적을 그리며 조향된다. 차속이 증가하면 조향륜이 그리는 원 궤적의 지름이 커져 차륜과 노면과의 마찰력이 줄어 필요 조타력이 감소한다. 따라서 파워 스티어링 차량은 차속이 증가할수록 조향 어시스트력을 감소시킬 필요가 있다.

MDPS와 EHPS 방식은 기본적으로 차속에 감응하여 차속 증가 시 조향 어시스트력을 감소시키지만 유압펌프식은 차속을 감응하는 방식과 그렇지 않은 방식(엔진 rpm 감응형)으로 구분된다.

(5) 파워 펌프 형식에 의한 분류

엔진으로 파워펌프를 구동하는 유압펌프방식의 파워펌프는 차속감응 여부에 따라 두 가지로 나뉜다.

차속감응형에 사용되는 펌프는 토출 유량이 일정한 Constant Flow 방식을 사용하고 차속감응을 하지 않는 방식의 파워펌프는 엔진 RPM이 상승하면 토출유량이 줄어드는 Down Flow 방식을 사용하고 있다.

(6) MDPS 모터 위치에 의한 분류

MDPS는 모터 장착 위치에 따라 아래 표와 같이 분류할 수 있다.

기본 구조   **설명**

C-MDPS

- 컬럼 구동식
- 엔진룸에 설치공간확보가어려울 때 적합
- R-MDPS 에비해 출력 떨어짐
- 중형차 이하에서 주로 사용

P-MDPS

- 피니언 구동식
- 좁은 엔진룸 공간에 설치 가능

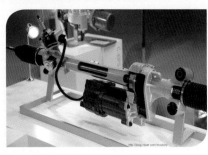

R-MDPS

- 랙 구동식
- 랙 부위에 충분한 공간 필요
- 큰 용량으로 대형차에 사용

02 조향장치 튜닝 장착 개론

1 조향장치 장착

조향장치의 장착 목록을 확인하여 장착 내용을 파악할 수 있어야 한다. 아울러 차종에 따라 조립을 위한 부품 및 규정치를 확인하여 초기 설정 범위 값으로 조립할 수 있어야 하며, 정비지침서에 따라 조향장치 관련 부품의 조립을 위해 관련 장비를 선택하여 사용할 수 있어야 한다.

(1) 스티어링 휠 유격 점검

① 스티어링 휠을 직진 상태로 정렬한다.

② 스티어링 휠을 좌우로 가볍게 돌려 바퀴가 움직이기 전까지 스티어링 휠이 회전한 거리를 측정한다.

③ 스티어링 휠의 유격이 0~30mm 이내이어야 한다.

④ 유격이 규정 범위를 초과하는 경우 스티어링 컬럼, 기어 기타 링키지 및 체결부의 유격을 점검한다.

(2) 정지시 보조 조타력 점검

① 바닥면이 평탄하고 깨끗한 장소에 차량을 위치시킨다.

② 파워 스티어링 오일의 온도를 상승시키기 위해 엔진을 시동한 후 스티어링 휠을 좌우로 끝까지 몇 차례 회전시킨다.

③ 엔진 회전수를 600±100rpm으로 유지한 상태에서 스프링 저울을 스티어링 휠 끝부분에 걸고 저울을 당겨 스티어링 휠이 움직이기 시작할 때 힘을 측정한다.

④ 조타력은 약 3.0kgf가 적당하다.

⑤ 측정값이 규정값 이상인 경우 파워 스티어링 기어박스와 시스템을 점검한다.

2 조향장치 검사

(1) 조향핸들 자유유격 점검

① 엔진을 작동시키고 앞바퀴가 전방을 향하도록 놓는다.

② 스티어링 휠을 좌우로 가볍게 움직였을 때 휠이 이동되기 전까지의 스티어링 휠 유격을 점검한다(휠 유격: 0~30mm 이내).

③ 유격이 한계치를 초과하면 스티어링 샤프트 연결부와 스티어링 링키지의 유격을 점검하여 수리한다.

(2) 조향 핸들 프리로드 점검

① 조향핸들이 직진방향을 향하도록 한다.

② 기관의 시동을 걸고 1,000rpm을 유지한다.

③ 스프링 저울로 조향 핸들을 좌우측으로 한 바퀴 돌려 회전력을 측정한다(정지 상태의 조향 핸들 작동력: 3.8kgf 이하).

④ 조향핸들의 힘이 급격히 변화하지 않는지를 점검한다.

⑤ 조향 작동력이 규정치를 초과하면 타이로드엔드 볼조인트의 손상을 점검한다.

(3) 스티어링 컬럼 어셈블리 점검

① 조향축의 길이와 축 방향에 대한 흔들림을 점검한다.

② 연결 부분의 유격, 손상, 마멸, 회전 상태 등을 점검한다.

③ 볼 조인트, 베어링의 마멸과 손상에 대해 점검한다. 이때 볼 조인트나 베어링에 결함이 있으면 교환한다.

03 조향장치 튜닝 시험 개론

1 조종 안정성 시험

실차 조종성 안정성 시험은 조타입력이나 외란에 대한 차량의 응답특성을 조사하는 실 주행 자동차의 주행시험이다. 시험은 J턴 시험과 같이 규정된 조타입력을 주는 **오픈 루프**의 응답특성과 레인체인지 시험이나 **스랄롬**slalom 시험과 같이 인간과 자동차계를 포함한 **클로우즈루프**의 응답특성으로 크게 나누어진다. 시험 중에는 안정성 평가를 할 수 있는 것으로써 손 놓기 안전시험, 횡풍 안정성시험이 있으나 이들의 시험에는 대규모의 테스트코스나 장치가 필요하다. 그러므로 여기서는 차의 조종안정성시험으로써 정상원 선회시험, 가속 감속 원선회시험, 직진안정성시험, 필링시험에 대해 설명한다.

(1) 정상 원 선회 시험

정상 원선회시험은 일정의 선회반경 조건하에서 원선회를 하고 구심속도의 증가에 따른 핸들조작각, 조향토크, 롤각 등의 특성치 변화를 측정하는 가장 기본적인 특성시험이다. 또 계산처리에 따라 핸들각에서는 **US/OS**Under Steer/Over Steer(이하 US/OS라 쓴다) 특성과 스태빌리티 팩터를 구하고 롤각에서는 롤율을 구할 때가 많다. 정상 원선회가 가능한 최고속도에서 최대횡가속도를 얻는 것이 가능하다.

① 계측 파라미터

핸들조작각, 조향토크, 롤각 및 중심위치의 구심가속도로 한다. 이 밖에 현가장치 스트로크, 차체의 횡 미끄러짐각, 4륜의 노면접지하중 등을 측정할 때도 있다.

② 계측기

측정용 계측기로는 조향각 및 조향토크를 전압으로 변환하는 조향각력계를 사용한다. 이것은 전기저항식의 회전각도계와 변형게이지를 내장한 것이며 증폭기를 통해서 전압차로 변환한다. 롤각은 **프리자이로**free gyro를 내장한 장치를 차량에 고정해서 측정한다. 또 광학식의 변위계를 사용해서 기어와 노면 간의 거리를 검출하고 좌우의 차에서 롤각을 계산하는 방법도 있다.

구심가속도를 측정할 때에 차량고정의 가속도변환기를 사용하면 구심가속도에 차체의 롤각 φ의 중력가속도성분 $g \cdot \sin\varphi$가 더해진 값을 계측하는 것이 되므로 보정이 필요하게 된다. 이 때 위에서 말한 자이로 장치의 플랫폼 위의 가속도계를 사용하면 롤각에 의한 중력가속도 성분의 영향을 피할 수가 있다.

비접촉광학식의 속도계를 차체에 고정하고 도로에 대한 진행방향속도를 측정하여 구심가속도를 구하는 방법도 있다.

③ 측정

시험에 사용하는 코스는 정상 원선회를 실시할 수 있는 충분한 넓이의 평탄한 콘크리트 또는 아스팔트 포장의 건조한 노면이 필요하다. JASO에서는 정상원반경을 30m로 규정하고 있다.

시험은 극저속주행에서 한계속도까지 일정한 속도로 정상 원선회를 하고 구심가속도의 단계적인 증가에 따르는 핸들조작각, 조향토크, 롤각 등 각종특성의 변화를 기록한다. 데이터의 정밀도를 높이기 위해서 10단계 정도의 각기 다른 주행속도로 시험을 한다.

④ 주의사항

극저속주행 시의 핸들조작각은 언더스티어 상태의 계산결과에 크게 영향을 주기 때문에 정확한 측정이 요망된다. 롤각의 계측을 프리자이로를 내장한 장치로 할 때 롤각의 제로위치 조정은 자이로의 회전이 안정된 상태로 된 후에 한다.

또 긴 시간 측정을 할 때 지구의 자전운동에 의해 롤각 측정치가 드리프트할 때가 있기 때문에 자립장치를 작동시킨다.

(2) 가속/감속 원선회 시험

가속 원선회 시험은 일정속도로 선회 중에 액슬페달을 밟음으로써 가동력의 증가에 의한 차량의 작동변화를 확인하는 것이다. 감속 원선회 시험은 구심가속도의 높은 영역에서 선회 중에 액슬페달을 되돌리면 급격한 감속에 의해 테크인이 발생할 때가 있기 때문에 그 작동변화를 확인하는 것이다.

① 계측파라미터

차속, 요오레이트, 전후방향 가속도 및 횡방향가속도 각각의 시간변화를 측정한다.

② 계측기

조타각력계, 레이트자이로, 속도계, 가속도계를 사용한다.

③ 측정

가속 원선회 시험은 선회반경 15~30m의 정상 원선회 중, 그 상태에서 핸들조작각을 일정하게 유지한 채 급가속을 하고 각 특성치의 시간변화를 기록한다.

감속 원선회 시험은 횡방향가속도가 높은 영역(일반적으로 5~7m/S^2)에서 정상선회를 하고 급격하게 액슬페달을 되돌려서 감속했을 때의 각 특성치의 시간변화를 기록한다.

④ 주의사항

가속/감속 원선회 시험은 트랜스미션 형식에 따라 결과가 다르기 때문에 오토매틱의 경우 킥다운의 유무, 매뉴얼의 경우 시프트 위치를 정확하게 기재할 필요가 있다. 비접촉광학식의 속도계의 센서는 장착되는 위치에 따라 측정결과에 영향을 주기 때문에 차량중심위치의 속도로 변환할 필요가 있다.

(3) 직진 안정성 시험

직진 안정성은 목표코스에서의 이탈이 작은 차량의 흔들림 상태 등을 평가할 때가 많다. 때문에 드라이버가 차를 가능한 한 코스에 따르도록 직진주행을 시키는 클로우즈 루프테스트에 의해 평가한다.

① 계측파라미터

측정항목은 핸들조향각, 핸들조향력, 요.오.레이트, 횡방향가속도, 차속으로 한다.

② 계측기

조향각력계, 레이트자이로, 가속도계, 비접촉광학식의 속도계를 사용한다.

③ 측정

시험은 일정한 속도로 주행 시에 테스트코스의 직선부분에 그어진 라인 위를 트레이스 한다. 테스트코스는 고속주회로 등 직선구간이 긴 시험로가 필요하다. 시험차속은 100km/h에서 최고속도까지 단계적으로 증가시켜 주행한다.

④ 주의사항

고속직진주행 시험은 차의 공기저항이 크다는 것, 계측물리량이 작다는 점에서 계측결과에 자연풍의 영향을 받기가 쉽다. 때문에 시험 시의 풍속은 3m/s 이하일 것이 요망된다. 또한 노면이 고르지 못한 것도 외란으로써 결과에 영향을 주기 때문에 시험 길은 평탄하여야 한다.

(4) 필링평가 시험

필링평가는 조종성 안정성 중에서도 인간의 감각, 감성에 따른 표현은 할 수 있으나 계측 등에서 물리적으로 정량화하기가 힘든 특성이나 상품화 등 정량데이터에서는 표현을 할 수 없을 정도의 미소한 차이를 평가하는 데 유효하다.

① 평가

필링평가 방법을 분류하면 상대적 평가와 절대적 평가로 나누어지며 평가 대상을 기준으로 분류하면 조종성 안정성과 같이 좋고 나쁨을 직접 평가하는 것과 물리적으로 측정 불가능한 특성과 같이 그 크기를 판정하는 것으로 나눌 수 있다.

상대적 평가는 기준자동차에 대해서 평가를 해야 할 자동차가 어느 레벨에 있는가를 단계적으로 판정하는 것이며 절대적 평가는 필링의 좋고 나쁨이 어느 정도인지 직접 그 차이를 나타내는 것이다.

② 주의사항

필링평가는 인간이 평가한다는 점에서 각각의 감각의 차이나 필링을 나타내는 용어 해석의 차이 등으로 평가결과가 달라질 가능성이 있다. 또 필링평가에서의 테스크의 난이도나 위험도가 높으면 평가결과에 차이점이 생기기 쉽기 때문에 테스크나 드라이버 선정에 주의할 필요가 있다.

정량화일 때 스케일은 상대적으로 레이팅하는 것과 절대적인 레이팅에 따르는 것으로 분류가 되며, 모두 드라이버의 필링평가의 차이점을 적게 하는 데 유효하다. 체크시트의 작성에 있어서는 평가 항목을 명확하게 하고 상대적 평가인가 절대적 평가인가를 선택하며 또한 드라이버가 체크하기 쉬운 순서로 항목을 정리하며 코멘트를 기입할 수 있는 란을 만든다.

04 조향장치 튜닝 실무

1 내외륜 조향각

(1) 애커먼 지오메트리

원심력을 무시할 수 있을 만큼 극히 낮은 차속에서의 선회 시 타이어에 가로로 미끄럼이 생기지 않게 하기 위해서는 각 륜이 공통의 1점을 중심으로 선회하지 않으면 안 된다. 이것을 애커먼 지오메트리라고 한다.

통상의 전륜 조향 차의 경우 이 조건을 만족시키기 위해서는 $L=$축간거리, $K=$킹핀 간거리, $\alpha=$내륜 조향각, $\beta=$외륜 조향각 이라고 하면 $K/L=(dO-cO)/bd=\cot\beta-\cot\alpha$가 되지 않으면 안 된다.

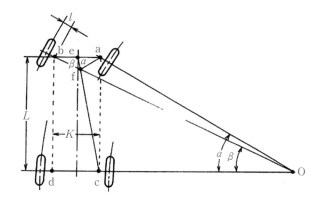

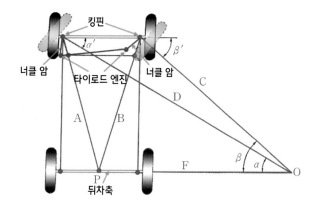

▶ 출처 : 한국산업인력공단(2012). 『자동차섀시』. 조향장치. 255p

그림 4-04 조향각의 관계(애커멘 지오메트리)

내외륜의 조향각이 그다지 차가 없는 것 ($\alpha=\beta$)를 패러렐(스티어링) 지오메트리라고 한다. 아래 그림은 애커먼 지오메트리, 패러렐 지오메트리의 이론곡선을 나타낸 것으로써 실제 차량의 스티어링 지오메트리는 대부분의 경우 양자 사이(사선범위)로 설정되어 있다.

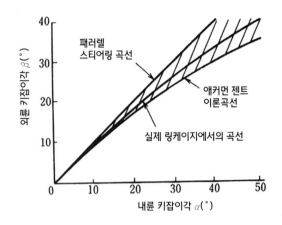

▶ 출처 : 편집부(1996). 『자동차공학기술대사전』. 과학기술. 스티어링 설계편. 531p

그림 4-05 **스티어링 링게이지의 특성**

전후륜조향의 자동차(사륜조향차)인 경우는 전륜과 후륜의 조향각의 비율을 어떻게 설정할 것인가에 애커먼 지오메트리의 기하학적 조건식이 달라져 복잡하게 되므로 생략한다. 하지만 각 차륜이 공통의 1점을 중심으로 선회한다고 하는 기본 사항에 있어서는 다를 것이 없다. 주목하여야 할 점은 같은 위상의 **조향각**(전후륜의 조향각이 같은 방향)과 **역위상조향**(전후륜의 조향각이 역방향)에서는 후륜의 내외륜 조향각의 대소 관계가 역전되는 일이다.

바꾸어 말해, 하나의 차축으로 같은 위상조향과 역위상조향의 양편으로 하는 경우 어느 경우에도 애커먼 지오메트리를 확보하는 것은 좌우륜을 링게이지로 연결하는 통상적인 스티어링 기구에서는 할 수 없다는 것이다. 그러나 후륜의 조향각이 그다지 크지 않은 경우에는 애커먼 지오메트리를 확보할 수 없더라도 타이어의 가로 미끄럼에 의한 폐해는 적기 때문에 문제가 되지 않는다.

(2) 주행차량에서의 애커먼 지오메트리

실 차량의 설계에 있어서는 애커먼 지오메트리를 될 수 있는 한 만족시키기 위해서는 타이로드 암의 볼 조인트의 위치를 킹핀에서 차량의 안쪽으로 어긋나게 배치한다. **그림 4-6**에 있어서 내륜의 조향각 α는 타이로드암 ah의 회전각이다. 이에 대응해서 외륜의 조향각 β는 외륜의 타이로드암 볼 조인트의 회전궤적과 좌우 볼 조인트 간의 거리가 타이로드의 길이에 언제나 같은 관계를 만족시킴으로써 구해진다. 이와 같이 해서 a를 10°, 20°, 30°로 변화시키는 β를 구하여 앞에서 말한 교점 f (**그림 4-4**)의 궤적을 작성하면 직선 ec와는 일치하지 않는다. 이 점 f의 궤적을 오차곡선이라 하고, 직 선 ec와의 오차를 될 수 있는 대로 줄이도록 볼 조인트 위치를 정하는 것이다. 그리고 타이로드가 킹핀의 앞에 있는 경우에는 반대로 볼 조인트 위치를 킹핀보다 차량 바깥 쪽으로 배치해 두면 된다.

인디펜던트 서스펜션에서는 좌우륜의 상하 운동과 간섭되지 않도록 타이로드는 좌우 두 개의 인너볼조인트에 의해서 3분할되어 있기 때문에 오차곡선의 작성도는 약간 복잡 하게 되지만 기본적인 사고방식은 앞에서 말한 리지드 서스펜션의 경우와 마찬가지이다.

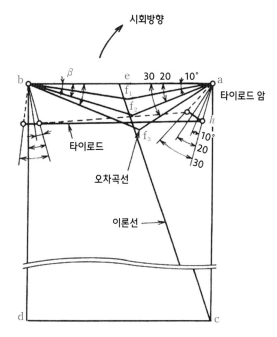

▶ 출처 : 편집부(1996).『자동차공학기술대사전』. 과학기술. 스티어링 설계편. 532p

그림 4-06 **스티어링 링크의 조향 오차곡선**

2 선회 시 원심력의 영향

원심력이 일어나서 이것과 균형이 잡힐 만큼의 코너링포스가 발생하지 않으면 안 된 다. 그러기 위해서는 차량은 선회궤도의 접선에 대하여 안으로 향하도록 자세를 바꾸어 나가지 않으면 안 되며(**그림 4-7**), 이때에는 애커먼 지오메트리가 성립되지 않게 된다. 이것은 반대로 차량을 고정시키고 생각하면 선회중심이 앞으로 이동하는 것을 의미하 며 또한 스티어링 특성(전후 타이어의 코너링파워, 차량의 중심위치 등)에 따라 선회의 중심은 차량의 가로방향으로도 이동할 수 있다(**그림 4-8**).

또 원심력에 의하여 차체가 롤 하면 차량의 상하운동에 의하여 위에 설명하는 범프 스티어가 일어나서 선회 내외륜의 조향각의 관계는 극저속일 때(롤 없이)와는 달라진다. 내외륜의 조향각은 이러한 점을 고려하여 각 륜의 타이어가 치우침 없이 더욱 합리적인 배분으로 코너링포스를 일으킬 수 있도록 설계한다.

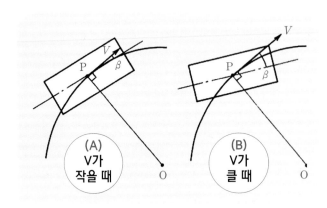

그림 4-07 **선회원에 대한 차량의 자세**

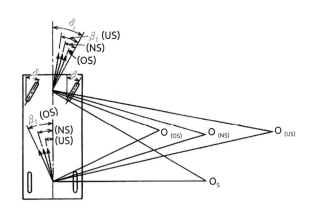

▶ 출처 : 편집부(1996).『자동차공학기술대사전』. 과학기술. 스티어링 설계편. 532p

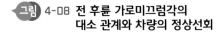

그림 4-08 **전 후륜 가로미끄럼각의 대소 관계와 차량의 정상선회**

3 최소회전반경

자동차의 최소회전반경은 조향각이 최대인 상태에서 극히 저속으로 선회했을 때의 바깥쪽 전차륜 중심 면과 접지점의 궤적으로 잰다. 따라서 r＝차륜중심면과 킹핀축사이의 거리, α_{max}＝내륜의 최대조향각, β_{max}＝외륜의 최대 조향각이라고 하면 최소회전반경은 다음과 같다.

$$R = \frac{L}{\sin\beta_{\max} + r} = \frac{\sqrt{(L/\sin\alpha_{\max})^2 + K^2 + 2KL}}{\tan\alpha_{\max} + r}$$

④ 토우 변화와 범프 스티어

서스펜션에 의한 상하 운동에 따라 차륜의 조향각이 달라지는 현상을 범프 스티어라고 하며 이에 대응하는 좌우간의 토인 변화로 나타낸다.

인디펜던트 서스펜션의 경우 타이로드 아우터 볼 조인트는 인너 볼 조인트를 중심으로 하는 구면상을 움직여서 차량의 가로방향으로도 변위한다. 한편 너클은 서스펜션 링크의 지오메트리로 정해지는 곡선 위를 오르내리려고 하므로 이 곡선이 앞에서 말한 구면과 일치하지 않는 한, 너클은 킹핀축의 둘레로 회전하여 범프 스티어를 일으킨다(**그림 4-9**). 현실적인 설계에서는 양자를 일치시키는 것은 어려운 일이며 보다 가깝게 되도록 설계한다. 인너볼 조인트와 아우터 볼 조인트 높이의 차가 범프스티어 특성에 가장 영향을 미친다. 판스프링의 리지드액슬 서스펜션에서는 차체의 롤에 의하여 늘었다 줄었다 해서 액슬의 방향을 변화시킨다(**그림 4-10**). 이것을 특히 액슬 스티어라고 하며, 판스프링 새클의 설치각도를 바꿈으로써 특성을 바꿀 수 있다.

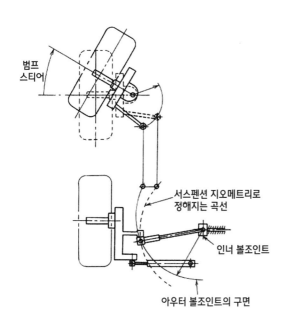

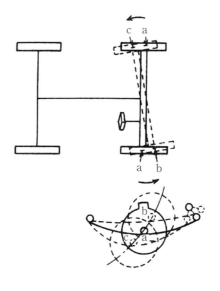

▶ 출처 : 편집부(1996). 『자동차공학기술대사전』. 과학기술. 스티어링 설계편. 533p

그림 4-09 **범프 스티어**

그림 4-10 **액슬 스티어**

05 조향장치 튜닝 장착 실무

1 스티어링 휠steering wheel 제작하기

스티어링 휠은 허브hub, 스포크spoke, 림rim, 패드로 구성되며, 허브와 림 및 스포크의 내부에는 철제와 경합금의 철심이 들어가 있다. 철심의 각 구성부품은 아크용접, 저항용접, 리벳 등의 방식으로 접합된다. 경량화를 위해 알루미늄이나 마그네슘의 채용이 촉진되며 각 구성부품의 접합이나 철심전체를 다이케스트 성형에 의해 구성하는 것도 사용되고 있다. 철심의 외측은 pp나 연질 PVC 등의 합성수지의 사출성형이나 우레탄폼의 RIM 성형에 의해 피복된다. 또한 그 외부를 가죽이나 합성피혁으로 덮은 것도 있고 이것들의 접착이나 봉제는 대부분 수작업으로 이뤄지고 있다.

외피의 재질은 차량 전체의 조화를 고려하여 의장, 기능면에서 설정되는데 그 재질별 성형방법에 따라 분류가 된다. 그 중에서 최근에는 RIM우레탄폼의 사용이 증가하고 있고 그 제조공정에는 폴리올과 이소시아네이트 등의 성분이 일정한 비율로 믹싱헤드의 속에서 순간적으로 혼합되어 금형 내로 주입되어 반응에 따라 발포제품이 된다. 발포에는 발포제로서 프레온이 사용되는데 환경보호를 위해(프레온 규제), 새로운 발포방법이 연구되고 있다. 패드도 마찬가지의 성형방법에 의해 생산이 된다. 또 성형에는 금형을 필요로 하며 그 재질이 성형품의 외관에 크게 영향을 준다. 금형 재질로는 전주니 켈형, 스틸형, 알루미늄형, 수지형 등이 있는데 최근에는 정밀주조형의 사용도 늘어나고 있다.

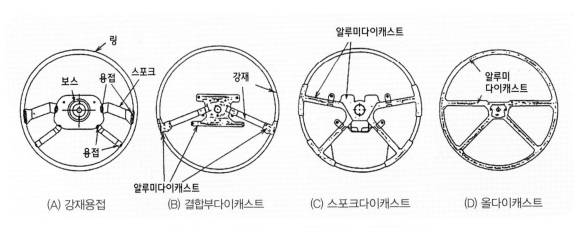

(A) 강재용접　　(B) 결합부다이캐스트　　(C) 스포크다이캐스트　　(D) 올다이캐스트

▶ 출처 : 한국산업인력공단(2012). 『자동차섀시』. 조향장치. 264p

그림 4-11 스티어링 휠

최근에는 충돌안전성의 향상을 위해 에어백시스템을 장착한 스티어링 휠의 채용이 증가하고 있다. 이 스티어링 휠은 에어백, 인프레이터, 패드 등으로 구성이 되며 높은 신뢰성이 요구된다. 이 때문에 조립공정에서는 불량품을 만들지 않기 위한 철저한 대책과 방지책을 취하며 바코드에 의한 이력관리 시스템이 도입되어 있다.

2 스티어링 컬럼 제작하기

스티어링 컬럼은 스티어링 휠의 회전을 스티어링 기어에 전하는 메인샤프트와 그것을 보디 측에 고정하는 컬럼튜브로 구성이 되어 있다.

(1) 메인샤프트 가공

샤프트는 2평면의 튜브와 이것에 끼워 맞춘 2평면의 축에 의해 토크의 전달과 충돌 시의 수축을 가능하게 하고 있고 그 2평면의 가공은 냉간단조에 의해 마무리된다. 통상시의 덜거덕거림을 억제하기 위해 양자 간은 사출성형기에 의해 수지인젝션으로 고정된다. 틸트용 조인트는 스파이더형의 푹스 조인트와 수지 볼 조인트가 있다.

수지조인트는 부품개수와 고정이 적고 저 코스트화가 되어 있다. 특히, 수지 볼과의 접동면을 냉간 단조로 완성하여 기계가공을 줄인 것이 공정수를 적게 하고 있다.

(2) 튜브 가공

튜브에는 차가 충돌했을 때 운전자에의 충돌을 완화하기 위해 충격에너지를 흡수하는 기구가 부착되어 있다. 에너지 흡수의 대표적인 볼 타입을 **그림 4-12**에, 벤딩타입을

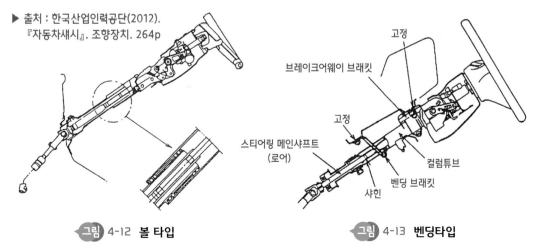

▶ 출처 : 한국산업인력공단(2012).
『자동차섀시』. 조향장치. 264p

고정
브레이크어웨이 브래킷
고정
스티어링 메인샤프트
(로어)
컬럼튜브
벤딩 브래킷
샤인

그림 4-12 **볼 타입**　　　그림 4-13 **벤딩타입**

그림 4-13에 표시한다. 볼 타입의 가공은 지름이 다른 어퍼튜브, 로어튜브 사이에 볼(수지제 케이지에 싸인 볼)을 압입함으로써 완성한다. 압입할 때에는 압입하중을 전수 측정하고 품질을 보증하고 있다.

한편, 벤딩타입은 소정의 에너지 흡수 능력을 가지고 있는 벤딩브래킷을 튜브에 용접함으로써 완성한다. 벤딩타입은 구조가 간단하여 저코스트화를 실현하고 있다.

❸ 스티어링 기어 제작하기

파워 스티어링의 핸들 조타 토크 (T) 와 발생유압 (P) 와의 관계는 그림과 같이 되어 있으며, 이것을 토크 유압특성이라 한다.

어떤 유압 (P_1) 을 발생시키는 데에 필요한 핸들을 우로 끊는 토크 (T_R) 와 좌로 끊는 토크 (T_L) 이 같게 되는 (즉, $T_R = T_L$ 이 된다) 것이 파워스티어링으로써는 중요하다. 이 토크-유압특성은 부품이나 조립정도에 좌우되기 때문에 단품치수, 형상, 면 거칠음 등 높은 정도가 요구되고 있다.

(1) 밸브샤프트 가공

밸브샤프트는 유압특성을 내기 위해 밸브 홈의 분할과 모따기 형성 등의 고정밀도를 요구한다. 유압특성에 중요한 모따기 연삭공정은 고정밀도를 확보할 수 있는 특수모따기 연삭반을 사용한다.

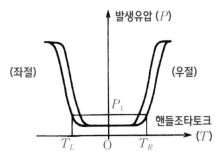

▶ 출처 : 편집부(1996).『자동차공학기술대사전』. 과학기술. 스티어링 설계편. 531p

그림 4-14 **스티어링 기어의 토크 유압특성**

(2) 밸브보디 가공

밸브샤프트와 마찬가지로 유압 특성을 내기 위해 내경의 진원도, 원통도, 홈 분할정도가 중요하게 된다. 유압특성에 중요한 홈 가공방법은 아래의 방법이 있다.

① 브로치에 의한 홈 가공 후, 양측 캡을 압입

② 냉단에 의한 홈 성형

③ 스로터

②, ③의 가공방법에 의한 일체품은 부품수가 적고 코스트가 낮아지고 있다.

(3) 피니언 가공

피니언과 토션바는 핀으로 고정되는데 담금질 후 같이 가공이 필요하다. 기어의 가공방법으로써 호브에 의한 기어커팅과 전조, 두 가지 방법을 많이 사용한다.

(4) 토션바 가공

토션바는 차종에 따라 유압어시스트를 달리할 필요가 있기 때문에 외경을 달리하는 수종의 가공이 필요하며 연삭이나 선삭으로 마무리할 수 있다.

(5) 래크 가공

래크는 매뉴얼용의 래크에 비하여 축부가 실린더용 로드의 역할을 가지고 있다. 따라서 축부에의 열처리 및 피스톤 코킹 홈 넣기 등에 의한 변형을 가급적 억제하면서 작업의 진척도를 높이는 공정을 짜고 있다. 또 축부에는 오일실의 실성 향상을 위한 면 거칠기가 요구된다.

❹ 스티어링 컬럼 및 샤프트

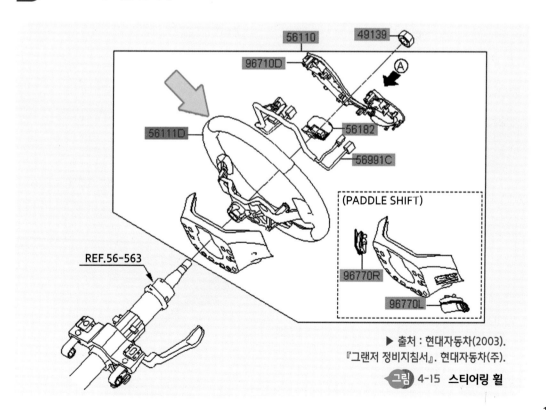

▶ 출처 : 현대자동차(2003).
『그랜저 정비지침서』. 현대자동차(주).

그림 4-15 스티어링 휠

5 스티어링 컬럼 및 샤프트 장착하기

① 조향칼럼과 조향축 어셈블리를 차체 안으로 끼우고, 규정 토크로 볼트와 너트를 조인다.

② 자재이음과 피니언을 볼트로 연결한 다음, 다기능 스위치 어셈블리를 설치한다.

③ 다기능 스위치에 부착되어 있는 커넥터를 끼우고, 로워 크래시 패드 및 마운팅 브래킷을 조립한다.

④ 조향핸들을 결합표시에 맞추어 조향 축에 조향핸들을 조립한 후 고정너트를 규정 토크로 조인다. 이때 앞바퀴를 조향핸들의 방향이 일치하도록 한 후 회전 상태가 원활한지를 점검한다. 경음기 버튼 커버(에어백 모듈)를 끼운 다음 축전지 (−) 단자를 연결 후 경음기와 다기능 스위치의 작동 여부를 확인한다.

6 스티어링 기어박스 장착하기

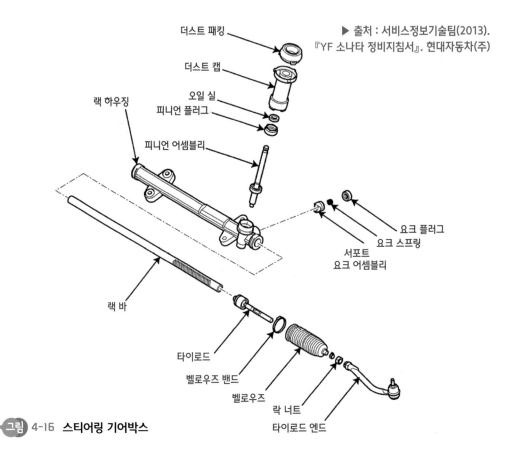

▶ 출처 : 서비스정보기술팀(2013).
『YF 소나타 정비지침서』. 현대자동차(주)

더스트 패킹

더스트 캡

오일 실
피니언 플러그

랙 하우징

피니언 어셈블리

요크 플러그
요크 스프링
서포트
요크 어셈블리

랙 바

타이로드

벨로우즈 밴드

벨로우즈

락 너트

타이로드 엔드

그림 4-16 **스티어링 기어박스**

① 프런트 휠 & 타이어 (A)를 분리한다.

② 프런트 스트럿 어셈블리 (A)에서 스태빌라이저링크 (B)를 분리한다.

③ 핀과 너트를 풀고 특수공구를 이용하여 타이로드 엔드 (A)를 분리한다.

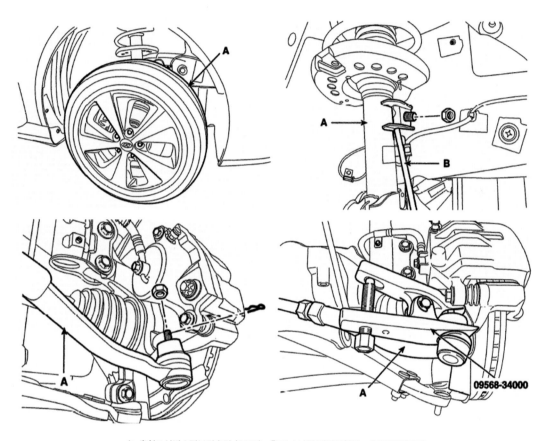

▶ 출처 : 서비스정보기술팀.(2013). 『YF 소나타 정비지침서』. 현대자동차(주).

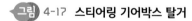 4-17 **스티어링 기어박스 탈거**

④ 볼트와 너트 풀어 로어 암 (A)을 분리한다.

⑤ 유니버설 조인트와 스티어링 기어 연결 볼트 (A)를 분리한다.

⑥ 언더 커버 (A)를 탈거한다.

⑦ 롤 로드 스토퍼 고정 볼트 (A)와 너트 (B)를 분리한다.

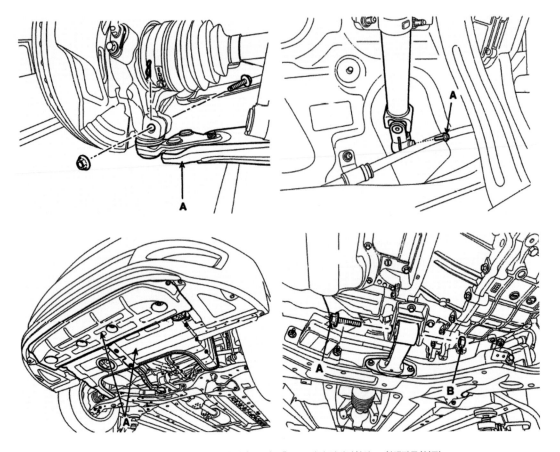

▶ 출처 : 서비스정보기술팀.(2013). 『YF 소나타 정비지침서』. 현대자동차(주).

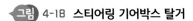 4-18 **스티어링 기어박스 탈거**

⑧ 러버행어 (A)를 분리한다.

⑨ 고정 볼트 및 너트를 풀어 서브프레임 (A)을 탈거한다.

⑩ 고정 볼트를 풀어 서브프레임 (A)에서 스태빌라이저바 (B)를 탈거한다.

⑪ 볼트를 풀어 스티어링 기어박스 (A)를 탈거한다.

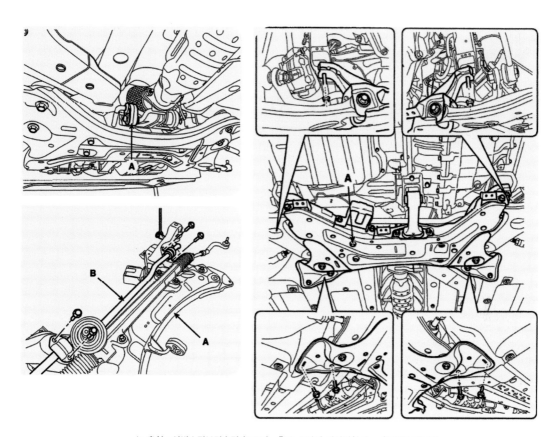

▶ 출처 : 서비스정보기술팀.(2013). 『YF 소나타 정비지침서』. 현대자동차(주).

⑫ 스티어링 기어박스의 장착은 탈거의 역순으로 진행한다.

⑬ 스티어링 기어박스 장착 후 휠 얼라이언먼트를 점검한다.

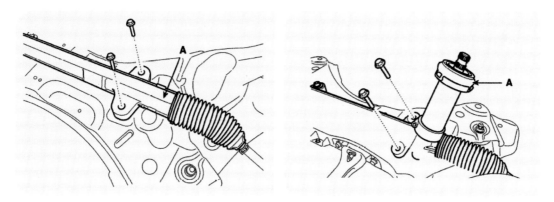

▶ 출처 : 서비스정보기술팀.(2013). 『YF 소나타 정비지침서』. 현대자동차(주).

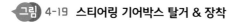 4-19 스티어링 기어박스 탈거 & 장착

06 조향장치 튜닝 시험 실무

1 스티어링 기어박스 프리로드 검사하기

① 잭을 이용하여 자동차를 들어 올린 후 안전 스탠드로 지지한다.

② 조향핸들을 좌우로 완전히 돌렸다가 직진 상태로 한다.

③ 조향핸들에 그림과 같이 스프링 저울을 조향핸들 중심과 직각이 되도록 설치한다.

④ 스프링 저울을 일직선으로 잡아당겨 바퀴가 회전하기 직전의 최대 측정값(0.5~2.0kgf·m)을 읽는다.

⑤ 규정값 이상인 경우에는 앞 현가장치, 조향 링키지의 휨 내지는 손상 유무를 점검하거나 피니언의 프리로드를 점검한다.

그림 4-20 조향핸들 프리로드 검사

그림 4-21 조향각도 검사

▶ 출처 : 서비스정보기술팀.(2013).
『YF 소나타 정비지침서』.
현대자동차(주).

2 스티어링 기어박스 조향각도 검사하기

① 차를 평평한 지면에 주차시킨다.

② 잭을 이용하여 차 앞쪽을 들어 올린 후 턴테이블turn table 중심에 올려놓는다.

③ 자동차가 수평을 유지하도록 잭을 이용하여 좌우 뒷바퀴를 턴테이블 높이와 같은 받침대 위에 올려놓는다.

④ 앞바퀴를 직진 상태로 유지시킨 후 턴테이블의 고정 핀을 뺀다.

⑤ 조향핸들을 좌우로 최대로 회전시킨 후 조향각도를 측정한다.

⑥ 측정값이 규정 이내에 있지 않으면 토toe에 이상이 있는 것으로 토를 조정하고 다시 점검한다.

3 스티어링 각 점검하기

① 앞바퀴를 회전 반경 게이지 (A)에 놓고 스티어링 각을 점검한다. 스티어링 각(공차 상태)은 통상 40°이내, 표준치는 자동차 제조사에 따른다.

② 측정치가 규정 내에 있지 않으면 토우(toe)에 이상이 있는 것이므로 토우를 조정하고 재점검한다.

4 스티어링 특성 시험하기

스티어링 특성 시험은 스티어링 휠을 조작했을 때 스티어링 휠의 회전각에 대한 타이어 회전각이나 스티어링 조타력의 변동을 측정하는 것이다. 또 스티어링계의 강성이나 파워 스티어링 특성에 대해서도 시험을 한다. 스티어링 특성은 조종성 안정성에 주는 영향은 크고 그 시험법은 지오메트리의 기구적 요소를 보는 것과 서스펜션을 포함한 실차 상태로 주행 테스트를 하는 것으로 크게 나뉜다.

(1) 내외륜 스티어각 시험

내외륜 스티어각 측정은 핸들 조향 시 내외륜의 스티어각이 애커먼 지오메트리를 만족시키는가를 측정하는 시험이다. 일반적으로 20°회전각 및 최대 회전각을 측정하며 최대 회전각을 측정하여 최소회전반경을 계산한다. 차를 정지상태로 고정하고 전륜 아래에 터닝 레이어스 게이지를 설치한 후 타이어의 스티어각을 측정하여 패러렐 스티어링 곡선과 애커먼 이론 곡선 사이에 오는지를 점검한다.

(2) 스티어링 기어비 효율 시험

스티어링 기어비 효율 측정은 바퀴의 회전방향에 일정한 부하토크를 준 상태에서 핸들을 회전시켜 바퀴의 부하토크에 대한 핸들의 회전 토크비를 측정하는 것이다.

측정 방법은 스티어각 측정방법과 같으며 터닝 레디어스 게이지의 회전방향에 부하를 주어 핸들의 조작 토크에 대한 타이어의 스티어 방향 토크의 비를 구하여 스티어링계의 효율을 측정한다. 스티어링 컬럼과 스티어일 기어박스와의 결합부에 유니버설 조인트를 사용하고 있을 때는 컬럼 측과 기어박스 측에서 회전각에 위상차가 생겨 기어비를 변동시킬 때가 있다.

(3) 스티어링 강성 시험

스티어링 강성은 조종 안정성에 관련된 특성으로, 스티어링 강성 시험은 핸들 회전방향의 변형강성을 시험한다. 스티어링계의 회전방향의 강성으로는 주로 스티어링 샤프트의 변형강성, 조인부의 강성, 기어박스의 설치 강성, 너클암의 휨강성 등이 있다.

측정방법은 스티어각 방향의 움직임을 억누르고 타이어 강성의 영향을 받지 않도록 하기 위해 전륜의 림 부분을 휠 허브 볼트 등을 이용해 직진 상태로 단단히 고정한다. 이 상태에서 핸들에 회전력을 주어 입력토크와 회전각을 측정한다.

(4) 조타력 시험

조타력 시험에는 핸들을 회전시키면서 측정하는 조타력 특성 시험과 핸들각을 일정하게 유지한 상태에서 측정하는 키유지력 특성 시험이 있다.

① **고정 돌리기 조타력 시험 :** 차를 직진 상태로 정지시켜 핸들을 최대각까지 천천히 연속적으로 회전시키면서 조타각 및 조타력을 측정한다.

② **렘니스케이트 주행 시 조타력 시험 :** 렘니스케이트 곡선을 그리고 그 라인 위를 따라서 핸들의 급격한 조작을 피하면서 주행한다. 측정은 조타각 조타력, 횡방향 가속도이며 차속도는 일정하게 유지한다.

③ **슬라롬 조타력 시험 :** 파이론 등의 규격에 따라 슬라롬 주행을 하고 속도 및 횡가속도에 의한 변화를 본다.

④ **선회 키 유지력 시험 :** 정상원 선회운동에서 구심 가속도를 단계적으로 증가시켰을 때의 핸들을 유지하는 힘의 변화를 측정한다.

(5) 파워 스티어링 특성 시험

파워 스티어링은 주로 고정돌리기나 저속 주행 시의 핸들 조작력을 저감하는 기능을 가지며 최근에는 유압으로 어시스트를 하는 형식이 많이 보급되어 있다.

유압식 스티어링계 중에서는 유압 제어용 밸브구조가 있고, 파워 어시스트를 얻는 데는 입력과 출력과의 상에 위상차가 발생하는 일이 많기 때문에 스티어링계로써의 조타력 특성 시험에 더해, 구조적인 마찰저항에 의한 핸들의 되돌리기 불량 등을 조사하기 위해서 차량의 복원성을 시험한다. 측정은 핸들의 조타각에 대한 조타 토크를 구하지만 조타토크 특성은 차속, 조타각속도 조타각에 따라 다르다. 차속, 조타각속도(주파수) 조타각 개개를 변수로 해서 슬라롬 주행을 하고 조타각에 대한 조타토크의 변화를 측정한다.

복원성 측정 시험은 일정한 속도, 횡가속도로 핸들을 고정해서 선회 중에 손을 떼었을 때의 핸들 복원성을 차량의 요레이트에서 구하는 시험이다.

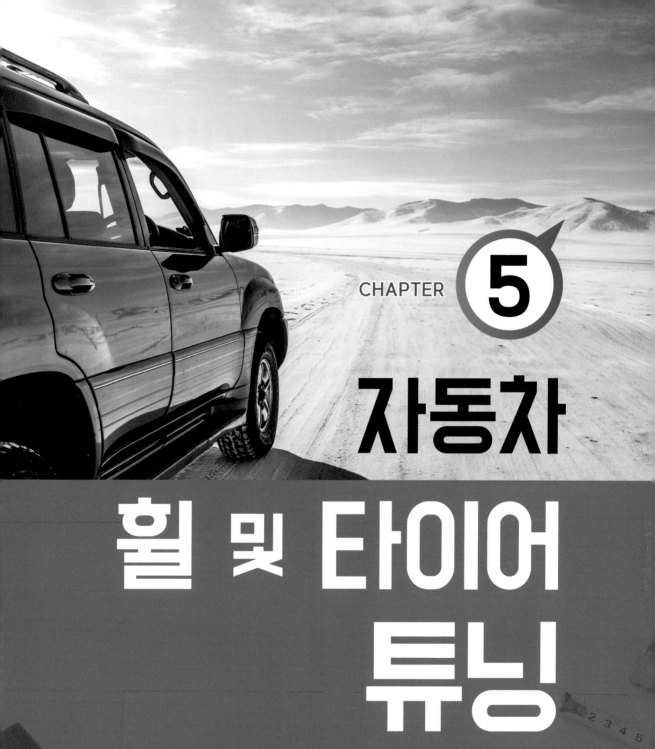

CHAPTER **5**

자동차

휠 및 타이어

튜닝

5 CHAPTER 휠 및 타이어 튜닝

01 휠 및 타이어 튜닝 계획

자동차 바퀴는 그림과 같이 타이어 및 휠의 조합으로 이루어져 있으며 승용차의 경우 보통 4개의 바퀴가 자동차의 전체 중량을 분담하여 지지하고 제동 토크 및 주행 토크를 전달하여 자동차의 전진, 후진 및 정지가 가능하도록 하며 선회할 때 원심력에 대항하는 힘을 발생시켜 원활한 선회가 이루어지도록 하는 역할을 한다.

타이어는 휠과 함께 지면과 접촉되어 자동차의 하중을 지지하고 노면으로부터의 충격을 흡수하며, 구동력과 제동력을 전달하는 중요한 역할을 한다.

그림 5-01 **실제 차량의 타이어와 휠**
▶ 출처 : 금호타이어

1 휠 튜닝 계획

휠은 차량의 무게를 감당하고 기능이나 외관적인 부분에서도 큰 역할을 하며, 그 종류에 따라 기능 및 장단점에 차이가 있을 수 있다.

(1) 휠의 구조

휠은 림과 휠 디스크 등으로 구성되는데 림은 타이어를 장착하여 유지하는 부분이고 휠 디스크는 차축의 허브에 장착하기 위한 부분이다. 특히 트럭과 버스의 경우에는

타이어가 차량의 하중을 유지할 뿐만 아니라 타이어의 탈착을
용이하게 할 수 있도록 림 부분에 사이드 림을 사용한다.

(2) 휠의 종류

휠의 종류는 크게 구조나 소재 및 제조 공법 등으로 나눌 수
있으며 **디스크 휠, 경합금, 스포크 휠**spoke wheel 등이 있다. 스
틸 소재의 휠은 알루미늄 휠에 비해 가격이 저렴하고 제조공정
이 단순한 반면 무게가 무거우며 부식에 약할 수 있다. 알루미
늄 소재의 휠은 스틸 휠보다 가벼워 그만큼 적은 연료 소비를

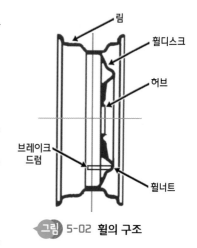

그림 5-02 **휠의 구조**

기대할 수 있으며 뛰어난 강성과 열전도율로 브레이크의 제동효율을 높일 수 있다.

휠을 제조하는 공법으로는 주조 혹은 단조방법이 사용되는데 **주조 휠**cast wheel은 틀
에 재료를 부어 성형하는 방식으로 일단 금형이 준비되면 시간과 비용에 제약이 적고
대량생산이 가능하다. **단조 휠**forged wheel은 재료를 가열하고 압축하여 성형하는 방식
으로 주조 휠의 비해 공정이 비교적 복잡하지만 강도와 내구성이 높은 대신 가격은 주
조 휠에 비하여 상대적으로 높다.

① 디스크 휠 disc wheel

연강 판재를 프레스로 성형한 디스크를 리벳이나 용접으로 접합한 것으로 강도가
좋고 구조가 간단하며, 대량 생산성이 좋아 널리 이용된다. 비교적 값이 싸서 널리 이
용된다. 중량이 무거워 가볍게 할 목적으로 구멍이 많이 뚫려있다.

② 경합금 휠

알루미늄합금aluminum alloy이나 마그네슘합금으로 림과 디스크 부분을 한 몸으로
주조로 성형하거나 단조로 가공하여 이용하는데, 가볍고 열전도율이 뛰어나 많이 사
용한다. 치수 정도가 우수하고 외관이 미려하다.

디스크 림 / 스포크

그림 5-03 **휠의 종류**

디스크 휠 / 경합금 휠 / 스포크 휠

131

③ 스포크 휠 spoke wheel

림과 허브를 강철선의 스포크로 연결한 것으로 자전거의 휠과 같은 구조로 되어 있다. 경량이며, 탄성이 좋고 냉각성능도 우수하다. 그러나 구조가 복잡하고 변형되었을 때 정비의 어려움이 있다.

(3) 림의 분류와 표시방법

림의 모양에 따라 다음과 같이 분류하나 더 많은 형태로 세분하기도 한다. 적용할 자동차에 따라 림의 종류가 선택된다.

① 림의 분류

가) 2분할 림 2 split rim

림과 디스크를 일체로 프레스 가공하여 볼트로 결합한 구조이다. 직경이 비교적 작으며 승용차에 주로 쓰인다.

나) 드롭 센터 림 drop center rim

드롭 센터 림은 타이어의 탈착을 쉽게 할 수 있도록 중앙부를 깊게 한 것으로 타이어를 탈착하는 경우, 타이어의 비드를 중앙부로 밀어 넣어 비드를 이완시킨 상태로 탈착하는 방식으로 주로 승용차 또는 소형 트럭에 사용된다.

다) 광폭 드롭 센터 림 wide base drop center rim

폭이 넓고 가운데 부분이 깊은 림이다. 주로 대형차에 이용된다.

라) 인터 림 inter rim

인터 림은 광폭 평저 림이라고도 하며 한쪽의 비드 시트를 탈착할 수 있는 방식으로 림과 사이드 링이 단단하게 고정되도록 결합되어 있다. 인터 림은 중앙부가 편평하게 되어 있고 사이드 링의 모양을

그림 5-04 림의 분류

바꾸어 타이어가 림에 확실하게 부착되도록 되어 있으며, 주로 버스 및 트럭에 사용된다. 이외에도 세이프티 리지드 림safety ridged rim, 세미드롭 센터 림semi drop center rim 등이 있다.

② 림의 표시 방법

림을 표시하는 데 사용되는 요소는 플랜지 형상과 인치로 표시하는 림의 넓이와 림의 직경이다. 예를 들어, 6J × 14DC로 표시된 림은 림의 넓이가 6인치이며 J 형상의 플랜지로서 림의 지름이 14인치인 드롭센터(DC)형 림임을 알 수 있다.

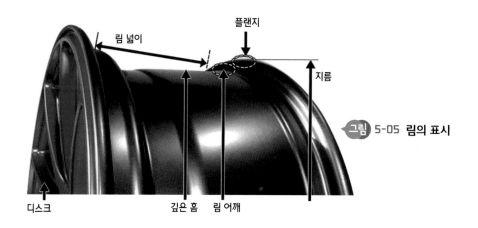

그림 5-05 **림의 표시**

③ 휠 튜닝 시 주의사항

휠 튜닝 시 제품 및 업체를 선정하기에 앞서 안전성이나 기능 등 추후에 발생할 문제는 없는지 미리 파악한 후 진행해야 하며, 본인의 차량의 맞는 규격인지 먼저 확인하고 선택해야 한다. 현재 자동차 검사는 펜더 밖으로 돌출되는 경우는 규제대상이므로 주의가 필요하다.

2 타이어 튜닝 계획

사람도 신발로 인해 발이 아프거나 편하거나 하듯이 자동차도 타이어로 인해 주행성과 승차감이 좌우되므로 타이어를 선정할 때 주의할 필요가 있다. 타이어 교체 시기는 대체적으로 50,000km 주행 이후이거나 또는 마모 한계선의 깊이가 1.6mm 정도보다 작게 되면 교체시기로 보는 무어보다도 안전을 위해 수시로 점검할 필요가 있다. 타이어는 다양한 노면을 달리기 때문에 상처가 나기 쉽고 고속도로나 장거리 주행이 많을수록 마모 한계선에 더 빠르게 다다를 수 있다. 그렇지 않은 경우라도, 타이어의 수명은 운전 습관이나 관리 방법 등으로 차이가 날 수 있으므로 운전 중 떨림 및 이상증상이 느껴지면 전문가를 통해 확인해야 한다.

(1) 타이어의 구조

① 트레드 tread 와 트래드 패턴

노면과 직접 접착되는 부분으로 내마멸성이 좋은 고무로 제작되며, 주행 중 옆 방향 및 전진방향의 슬립을 방지하고 타이어 내부에서 발생한 열을 발산하며 트레드부에 생긴 절상 등의 확산 방지 및 구동력이나 선회성능을 향상하기 위하여 트레드 패턴이 필요하게 된다.

▶ 출처 : 한국타이어

그림 5-06 타이어 구조

② 트레드 패턴의 종류

▶ 출처 : www.global-autonews.com

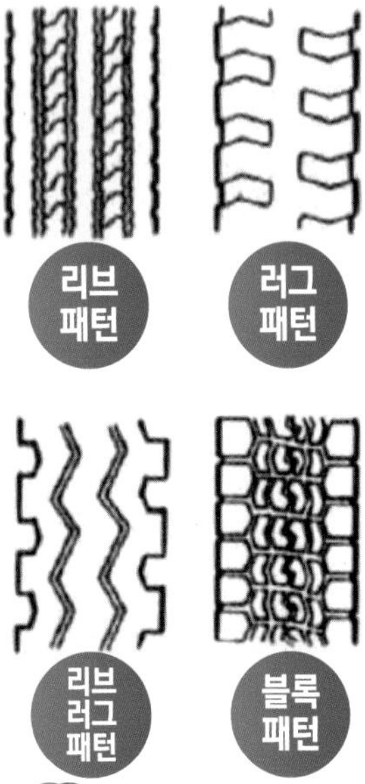

가) 리브 패턴 : 옆 방향 슬립에 대한 저항이 크고 조향성능과 승차감이 우수하고 주행 소음이 적어 승용차에 많이 사용된다.

나) 러그 패턴 : 험로나 비포장도로에서 견인력을 발휘하며, 비교적 슬립이나 편 마모가 발생되지 않기 때문에 덤프트럭 혹은 버스 등에 사용된다.

다) 리브 러그 패턴 : 조향성을 향상시키고 슬립을 방지함과 동시에 견인력이 향상되어 포장도로나 비포장도로를 겸용할 수 있으므로 주로 고속버스나 소형 트럭에 많이 사용된다.

라) 블록 패턴 : 모래나 눈길 등과 같이 연한 노면을 다지면서 주행하므로 앞뒤, 옆 방향 슬립이 방지된다.

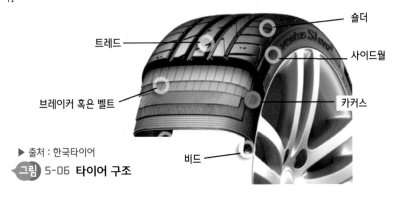

리브 패턴

러그 패턴

리브 러그 패턴

블록 패턴

그림 5-07 트레드 패턴

③ 브레이커 breaker 혹은 벨트 belt

브레이커는 바이어스 타이어의 **카커스**Carcass를 보호하기 위해 트레드와 카커스 사이에 삽입된 **코드**Cord층으로서 외부로부터 받는 충격을 완화하고, 트레드의 갈라짐이나 외상이 직접 카커스에 도달하는 것을 방지함과 동시에 고무 층과 카커스의 분리를 방지하는 역할을 한다.

벨트는 래디얼 타이어에 있어서 트레드와 카커스 사이에 원주 방향으로 놓여진 강력한 보강대이며 카커스를 강하게 죄여 트레드부의 강성을 높여준다.

④ 카커스 carcass

여러 겹의 섬유 혹은 금속의 선cord으로 이루어지며, 타이어의 골격을 형성하는 가장 중요한 부분으로 강도부재로서 타이어 내부의 공기압을 견디도록 하고 타이어가 일정한 형상을 유지하도록 하여 지면으로부터의 충격을 완충시키는 작용을 한다.

⑤ 비드 bead

타이어가 휠의 림에 접촉되는 부분으로서 타이어가 림에서 이탈하는 것을 방지하며 비드 부분 늘어나는 것을 방지하기 위해 피아노선을 첨가하는 경우가 있다.

⑥ 사이드 월 side wall

사이드 월 부분은 노면과 직접 접촉은 하지 않지만 주행 중 가장 많은 완충작용을 담당하는 부분으로서 타이어 규격이나 기타 정보가 표시된 부분이다.

⑦ 숄더 shoulder (타이어 어깨)

트레드와 사이드월 사이에 위치하고 구조상 고무의 두께가 가장 두껍기 때문에 주행 중 내부에서 발생하는 열을 쉽게 발산시킬 수 있도록 설계되어 있다.

(2) 타이어의 종류

타이어의 종류를 구분하는 데에는 사용압력, 튜브의 유무, 그리고 카커스의 형태가 주요한 요소가 되며 다음과 같은 종류가 있다.

① 사용 압력에 따른 타이어의 종류

가) 고압 타이어 : 사용하는 타이어 공기압이 4.2~6.3 kg/㎠ 정도로서 고무 층이 매우 두껍고 높은 하중도 잘 견딜 수 있기 때문에 주로 트럭이나 버스 등 대형 차량에 사용한다.

나) 저압 타이어 : 사용하는 타이어 공기압력이 2.0~2.5kg/㎠ 정도로서 보토의 타이어가 이에 해당된다. 접지 면적이 넓으며 공기주입량이 많아 완충 작용이 우수하다.

다) 초저압 타이어 : 사용하는 타이어 공기압이 1.7~2.0kg/㎠ 정도이며 승용차에 사용된다.

② 튜브의 유무에 따른 타이어의 종류

가) 튜브 타이어 : 고무 튜브가 타이어 내부에 삽입되는 경우로서 이전에는 자동차에도 많이 사용하였지만 현재는 주로 오토바이나 자전거 등에 사용된다.

나) 튜브리스 타이어 : 튜브가 없는 타이어로서 타이어 비드부와 휠의 림 부분을 완전히 밀착시키고 직접 공기를 주입한다. 튜브 타이어에 비교하면 튜브가 없으므로 무게가 가벼워졌으며, 못이나 볼트 등이 박혀도 공기의 누출이 적고, 펑크수리가 용이하며, 고속 주행 시 발열이 적은 장점을 가지고 있는 대신에 휠의 림이 손상될 경우 타이어와 밀착에 유격이 발생하여 공기 누출의 염려가 있으며 측면의 손상에 매우 취약한 단점도 가지고 있다.

③ 카커스의 형태에 따른 타이어의 종류

가) 바이어스 타이어 bias tire : 일반적으로 카커스의 코드방향을 타이어 횡단면의 수평방향에 대해 사선방향으로 약 32°~38° 정도 비스듬하게 설치한 타이어이다.

나) 레이디얼 타이어 radial tire : 카커스의 코드방향이 타이어 횡단면의 수평방향과 일치하도록 설치한 타이어로서 장점으로는 편평비를 크게 할 수 있어 접지 면적이 커서 하중에 의한 트레드 변형이 적으며 스탠딩 웨이브가 잘 일어나지 않는다. 또한 선회할 때 트레드 변형이 없어 코너링이 우수하다. 단점으로는 브레이커가 단단하여 상대적으로 충격흡수가 나빠 승차감이 나빠질 수가 있으며 저속에서 조향을 위한 큰 힘을 요구하게 된다.

다) 스노우 타이어 snow tire : 눈길 주행능력이 높도록 제작된 타이어로서 비교적 접지면적이 커서 제동능력이 우수하며 블록 트레드 패턴을 가지고 있어서 미끄럼방지 효과가 있고 조향 안정성을 높일 수 있다.

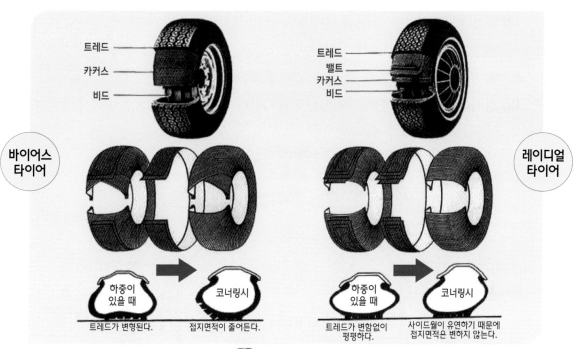

트레드
카커스
비드

트레드
밸트
카커스
비드

바이어스
타이어

레이디얼
타이어

하중이
있을 때

코너링시

하중이
있을 때

코너링시

트레드가 변형된다.   접지면적이 줄어든다.

트레드가 변함없이
평평하다.

사이드월이 유연하기 때문에
접지면적은 변하지 않는다.

그림 5-08 **타이어 종류**

(3) 타이어의 규격

타이어의 종류에서 설명한 바와 같이 용도에 따라서 타이어를 선정하게 되며 이 때 **그림 5-9**와 같이 타이어가 가지는 기본 제원을 포함하여 제조사 및 제조일자 등의 정보를 타이어 겉면에 표시한다.

① 승용 타이어 기본 제원 표시법

가) 고속타이어의 경우 그림과 같이 한계속도에 따라서 속도기호를 사용한다. 예를 들어, 한계속도가 180km/h인 레이디얼 타이어는 **SR**로 표시한다. 최근에는 한계속도가 높아지는 추세인데 한계속도가 240 km/h인 경우는 V, 240 km/h를 초과하면 **ZR**로 표기한다.

단면폭(W)

단면높이(H)

타이어 외경

▶ 출처 : 금호타이어

그림 5-09 **타이어의 규격**

▶ 출처 : 한국타이어

표시문자	F	L	M	N	P	Q	R	S	T	U	H	V
한계속도	80	120	130	140	150	160	170	180	190	200	210	240

그림 5-10 **타이어 한계속도**

나) 레이디얼 타이어는 림 지름 앞에 R을 표기한다.

다) 레이디얼 타이어는 PR(플라이 레이팅)을 생략한다.

라) 림 지름(타이어 내경)은 인치(inch)로 표시한다.

마) 타이어 단면 폭은 밀리미터(mm)로 표시한다.

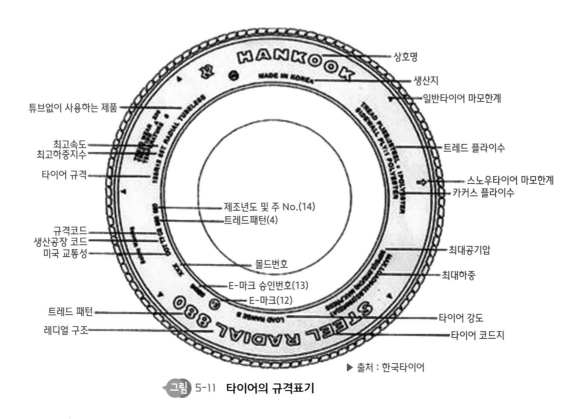

▶ 출처 : 한국타이어

그림 5-11 **타이어의 규격표기**

② 승용 타이어 규격

〈예시〉 **235** / **55** **R** **17** **103** **W**

- 단면폭 : 235(mm)
- 편평비 : 55 (%)
- 카커스 : 레이디얼 구조
- 림 외경 : 17 (inch)
- 하중지수 : 103
- 한계속도(속도기호) : W (240 km/h)

③ RV 타이어 규격

31 × **10.50** **R** **15** **6PR** 〈예시〉

- 타이어 외경 : 31(inch)
- 단면폭 : 10.5 (inch)
- 카커스 : 레이디얼 구조
- 림 외경 : 15 (inch)
- 플라이 레이팅 : 6

여기서 **플라이**ply **수**란 카커스를 구성하는 코드 층 수를 말하며, **플라이 레이팅 PR** Ply rating은 타이어에 사용된 **코드**cord의 강도가 면섬유 몇 장에 해당되는지를 나타낸다. 이러한 표시방법을 사용하는 이유는 이전에 타이어를 제조하면서 타이어 코드의 재료로 면사(綿絲)를 사용하였고 면사로 만든 코드지(ply)의 층수로 타이어의 강도를 표시하였다. 그러나 타이어 제조기술이 발전하면서 코드의 재료가 합성섬유 및 금속 재료로 바뀌었고 타이어 강도의 표시도 플라이 수 대신 플라이 레이팅이라는 용어를 사용하게 되었다. 예를 들어, 4PR은 코드의 층수에 관계없이 면사 코드 4겹에 해당하는 강도를 가지고 있음을 의미한다.

일반적으로 승용차용 타이어는 4PR이 대부분이며, 소형 트럭용 타이어는 보통 6PR에서 12PR까지 사용된다. 또한, **편평비**aspect ratio는 다음과 같이 정의된다.

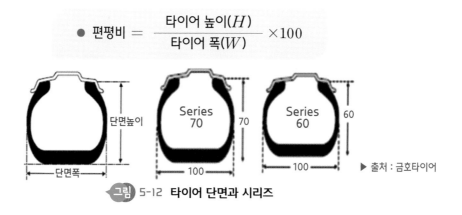

$$\bullet\ 편평비 = \frac{타이어\ 높이(H)}{타이어\ 폭(W)} \times 100$$

그림 5-12 타이어 단면과 시리즈

초기의 편평비는 대부분 100으로 타이어 폭과 높이가 같은 규격이었으나 최근에는 고성능 자동차일수록 편평비가 40정도까지 낮아지고 있으며 편평비를 기준으로 시리즈로 구분하는 경우도 있다.

(4) 타이어 평형

차량을 지탱하고 있는 타이어는 항상 차량 상태에 따라서 일정한 평형상태를 유지해야 하며, 이 때 고려되는 것이 정적 평형과 동적 평형이다. 정적 평형이란 타이어가 회전하지 않고 정지되어 있는 상태의 타이어의 평형을 말하며 평형이 이루어지지 않으면 바퀴가 상하로 진동을 하는 **트램핑**tramping 현상이 발생할 수 있다. 동적 평형이란 타이어가 회전하고 있는 상태에서의 평형을 말하며 동적 평형이 이루어지지 않으면 타이어가 좌우로 흔들리는 **시미**shimmy현상이 발생하기 쉽다.

(5) 스탠딩 웨이브 standing wave

타이어는 회전하면서 자동차의 하중 등으로 접지부분에서 변형과 복원을 반복하게 된다. 특히 고속으로 주행할 때는 타이어의 변형이 다음 시점까지도 복원되지 못하고 진동파형 모양으로 타이어에 주름이 잡히는 현상을 스탠딩웨이브 현상이라고 하며, 이를 방지하기 위해서는 타이어의 공기압력을 15~20% 정도 높여주거나 강성이 큰 타이어를 사용한다.

(6) 하이드로 플래닝 hydroplaning

수막현상이라고 하며 타이어의 트레드가 물을 완전히 밀어내지 못하고 물위에 떠 있는 현상으로서 이를 방지하기 위해서는 리브 패턴의 타이어 혹은 트레드의 마모가 적은 타이어를 사용하거나 타이어의 공기압을 약간 높여 사용한다.

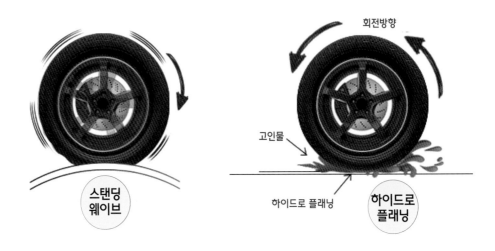

그림 5-13 스탠딩 웨이브와 하이드로 플래닝 현상

(7) 친환경 타이어와 타이어 에너지소비효율 등급제도

고무를 비롯한 많은 화학물질을 재료로 하여 만들어지기 타이어는 최근 노면과의 마찰에 의한 마모로 발생하는 분진 등이 환경오염의 원인이 되기 때문에 유해물질이 적은 소재를 사용한 친환경 타이어에 대한 관심이 확대되고 있으며 한편으로는 이산화탄소를 줄일 수 있는 방안으로 타이어의 회전저항을 줄여 타이어와 노면 사이에서 발생하는 에너지 손실을 적게 하여 얻어지는 연비효율을 좋게 하려는 시도가 계속되고 있다.

　정부는 이러한 상황을 고려하여 자동차용 타이어를 효율관리기자재로 지정하고 에너지이용 합리화법 제15조, 제16조, 제24조, 제66조, 제68조, 제69조 및 동법 시행령 및 시행규칙에 따라 자동차용 타이어의 에너지소비효율 측정 및 등급기준과 표시 등에 관한 사항에 대한 규정을 마련하여 2012년 12월 1일부터 시행하도록 하고 소비자가 고품질의 타이어를 쉽게 구별하여 구입할 수 있도록 하였다.

　표시내용은 크게 2가지이며 상단에 연비효율을 나타내는 타이어의 **회전저항계수**Rolling Resistance Coefficient **RRC**를 측정하여 녹색, 연두, 노랑 주황 빨강으로 나누어 5등급으로 표시한다. 또한 하단에는 젖은 노면에서의 제동성능을 나타내는 **젖은 노면 제동력 지수**Wet Grip Index **G**를 측정하여 5단계로 표시한 것이다.

　2가지 표시 내용 모두 숫자가 작을수록 성능이 좋은 것으로 구별되며, 스티커의 크기는 가로, 세로가 모두 9㎝이다. **그림5-14**는 2가지 등급이 모두 3등급인 경우이다.

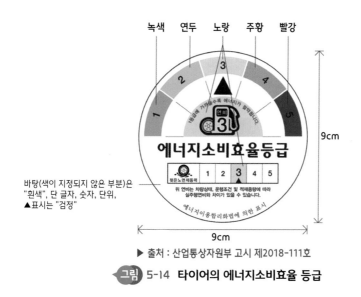

▶ 출처 : 산업통상자원부 고시 제2018-111호

그림 5-14 **타이어의 에너지소비효율 등급**

3 휠 및 타이어 선정

휠과 타이어 조합으로 기능을 발휘하기 때문에 적합한 휠과 타이어를 함께 선정한다.

(1) 휠 선정

① 튜닝 대상 차량의 기존에 장착된 휠의 종류를 확인한다.

② 튜닝에 적합한 휠의 종류와 제원 및 특성에 대해 간략하게 설명한다.

③ 고객의 결심을 확인하고 휠을 선정한다.

(2) 타이어 선정

① 튜닝 대상 차량의 기존에 장착된 타이어의 종류를 확인한다.

② TPMS tire pressure monitoring system 부착여부를 확인한다.

③ 튜닝에 적합한 타이어의 종류와 제원 및 특성에 대해 간략하게 설명한다.

④ 고객의 결심을 확인하고 타이어를 선정한다.

그림 5-15 실제 차량의 휠

그림 5-16 타이어 확인

02 휠 및 타이어 튜닝 장착

1 휠 및 타이어 튜닝 장착

(1) 기존 타이어와 휠 탈거

차량을 리프트에 올려 부양시키고 타이어의 볼트 직경과 적합한 에어 임팩트 등 공압 공구를 사용하여 기존의 휠과 타이어를 탈거한다. 보통 휠을 너클에 장착할 때는 공압 공구를 활용하지만 필요에 따라 전동공구를 활용할 수도 있다.

그림 5-17 기존 타이어와 휠 탈거

(2) 휠과 타이어 결합

① 탈착기에 휠을 장착한다.

② 타이어 외부 표면에 윤활제를 도포하고 탈착기의 분리부를 휠 가장자리에 정확히 위치한다.

③ 타이어 하단부터 회전판을 반대 방향으로 돌려 타이어를 삽입시킨다.

④ 타이어 상단에도 같은 작업을 수행한다.

⑤ 결합이 완료되면 림에 타이어 비드의 결합상태를 확인하면서 공기압을 조정해 준다.

⑥ 공기 누설이 없는지 다시 한 번 확인하고 작업을 종료한다.

윤활제 도포

하단 작업

상단 작업

 5-18 **휠과 타이어 결합**

(3) 휠 밸런스 조정

타이어와 휠의 조립 이후에 어느 특정 부분이 무겁거나 가벼운 상황이 되면 밸런스 웨이트를 달아 타이어의 균형을 잡을 수 있으며 이를 타이어 **밸런싱**Balancing 작업이라고 한다. 밸런스가 맞지 않을 경우 차량 진동 및 응력집중이 심해질 수 있으며 타이어의 수명이 단축될 수 있다.

그림 5-19 **휠 밸런스 측정기에 타이어 장착**

튜닝할 휠과 타이어를 휠 밸런스 측정기에 장착하고 측정기 사용법에 따라서 휠 밸런스를 조정한다. 그림에서 조정 전에는 밸런스가 맞지 않아 적색과 녹색으로 표시되고 있으나 조정 후에는 밸런스가 조정되어 적색으로 일치하게 됨을 알 수 있다.

밸런스 웨이트

조정 전

조정 후

그림 5-20 밸런스 웨이트와 휠 밸런스 조정

(4) 일반 차량 타이어 장착

기존 타이어와 휠 탈거의 역순으로 휠과 타이어를 장착하고 **휠 얼라인먼트**wheel alignment를 확인한다. 단 휠 얼라인먼트 작업 방법은 별도의 단원에서 다룬다.

그림 5-21 일반 차량에 타이어 장착

(5) TPMS tire pressure monitoring system 부착 차량 타이어 장착

① 타이어 교환 전 TPMS센서 부착 여부를 확인한다. 일부 차량의 경우 TPMS의 각 바퀴당 위치가 정해져 있는 경우가 있으니 확인 후 위치를 표시 해 둔다.

② TPMS센서 부착 및 렌플렛 타이어 교환 시 림 바디 및 타이어 비드 안착부분에 타이어 크림을 충분히 도포한다.

③ 타이어 탈거 시 센서위치는 상부비드와 하부비드 2~3시 사이에 위치해야 한다.

④ 타이어 마운팅 시 센서위치는 하부비드와 상부비드는 6~7시 사이에 위치해야 한다.

⑤ 위 사항은 일반적인 림 형태의 장착 방식이며, 특수림 일 경우 작업자의 경험 및 노하우에 따라 TPMS센서 위치는 변경이 될 수 있다.

⑥ 타이어 장착작업 완료 후 TPMS 초기화가 필요한 차량의 경우 반드시 초기화를 진행 하여야 한다.

(6) 전동 및 에어공구 사용 주의사항

작업 전에 정돈된 상태 작업 공구를 준비하며 장비와 설비는 이동과 작업 중 활동에 제약이 없도록 배치하되 주변 보행자 및 유동성을 고려한다. 작업 중에는 전동 혹은 에어공급 장치가 전선 혹은 에어호스로 연결이 되어 있으므로 취급에 각별히 주의한다.

작업 후에는 원래의 위치로 되돌리는 것을 기본으로 한다. 또한 장비를 취급할 때에는 항상 장갑이나 보호구를 착용하며 올바른 자세로 수행하며, 무리한 힘을 가할 경우 변형이나 파손이 이러날 수 있으므로, 올바르게 결합되지 않거나 이상 소음이 발생하면 작업을 멈추고 상태를 다시 한 번 확인하고 작업한다.

CHAPTER 6

자동차

썬루프 튜닝

6 CHAPTER

썬루프 튜닝

01 썬루프 튜닝 계획

자동차 썬루프는 자동차의 루프에 장착되어 환기 또는 외부를 관찰하기 위하여 설치한 자동차용 부품의 하나이다. 차량 대수가 많아지면서 소비자의 다양한 취향을 충족시키기 위하여 자동차에 사용되는 부품 또는 부착물들이 증가하고 있으며, 이러한 부품 중에서도 특히 썬루프는 그 사용이 증가하고 있다.

1 개요

자동차 썬루프는 자동차의 측면 창문과는 별도로 루프 상부에 설치되어 실내 환기를 도울 뿐 아니라 외부의 경관도 즐 길수 있어 고급 레크리에이션 목적에서 오토매니아들에게는 필수적인 장치로 인식 되고 있으며 근래 출시되는 고급 차량에서는 원터치 작동 및 자동 잠금, 인체감지 등 원활하고 매끄러운 썬루프의 작동을 위하여 썬루프에 각종 전자장치들도 부착되고 있다.

썬루프는 20세기 초 독일에서 개발된 이후 여러 가지 모델과 작동 방식이 출현하였으며, 현재 여러 기업에서 다양한 제품을 생산하고 있다. 자동차 수출국인 우리나라에서도 여러 가지 썬루프의 개발이 이루어지고 있으며 앞으로도 소비자들의 취향이 고급화되면서 그 시장규모가 확대될 것으로 예상되는 자동차 부품중의 하나이다. 그리고 썬루프용 유리는 고강도 유리로서 햇빛으로부터 자외선이나 적외선을 차단한다.

2 썬루프의 종류

썬루프는 신차의 옵션으로 제공되는 경우도 있으나 애프터마켓에서 장착되는 경우도 많으며 큰 틀에서 보면 작동을 수동으로 하느냐 혹은 모터를 장착하여 자동으로 하느냐에 따라서 종류가 구분된다.

그림 6-01 자동차 썬루프

(1) 수동식 썬루프 manual type sunroof

매뉴얼 타입의 수동식 썬루프는 전기장치 없이 작동되는 제품이며 대부분 뒤쪽만 **틸팅**tilting되는 구조를 가지고 있으며 가장 비용이 적게 들고 고장의 위험성이 낮은 장점을 가진 반면 개방감과 작동의 편리성이 부족한 단점도 가지고 있어서 현재는 거의 사용되지 않고 있다.

(2) 자동식 썬루프 auto type sunroof

수동식 썬루프에 작동 모터를 장착하여 편리하게 사용할 수 있도록 한 것으로 아웃 슬라이딩 방식과 인 슬라이딩 방식이 있다.

그림 6-02 수동식 썬루프

그림 6-03 자동식 썬루프

① 아웃 슬라이딩 썬루프 out sliding sunroof

썬루프가 틸팅된 상태로 차량의 루프면 위로 오픈되어 지는 방식으로 비교적 장착이 용이하고 비용이 저렴한 대신 빗물이 들어올 수 있는 단점이 있다.

② 인 슬라이딩 썬루프 in sliding sunroof

옵션으로 장착되는 제품의 대표적인 모델로 차량의 루프 안으로 오픈되어지는 방식이며 기본적으로 배수시스템이 설치되어 누수에서 안정적인 만큼 마켓에서는 가장 많이 선택되는 제품이라 할 수 있다.

③ 폴딩 썬루프 folding sunroof

다단계로 접어지면서 오픈되어지는 타입의 제품으로 접어지는 단의 재질에는 컴버스 원단이거나 글라스 원단이 사용된다. 비교적 넓은 면적을 확보할 수 있어서 개방감이 뛰어나지만 소음과 비용이 고가의 단점이 있다.

④ 파노라믹 썬루프 panoramic sunroof

근래에 많이 장착되는 제품으로 앞좌석은 물론 뒷좌석에서도 하늘을 볼 수 있도록 넓게 글라스 루프가 설치되어져 뛰어난 개방감이 있는 방식이다. 다만 넓은 글라스 루프를 가지기 때문에 외부 충격에 의해 파손되기 쉽다는 약점과 고가의 비용이 발생되는 단점을 가지고 있다.

그림 6-04 폴딩 썬루프

그림 6-05 파노라믹 썬루프

02 썬루프 튜닝 장착

1 썬루프에 사용되는 기술

(1) 이동 sliding

자동식 썬루프를 여닫기 위한 모든 기술적 구성을 말하며 슬라이딩 썬루프에서는 가이드 구조와 썬루프를 이동시키는 구조를 포함한다. 수동식 틸팅형 썬루프에 사용되는 핸들 및 래치 등은 별도의 항목인 지지부재에 포함된다.

(2) 이동제한 sliding restriction

상기의 이동기술에 의해 썬루프의 이동이 어느 위치에 달하면 더 이상의 진행을 제한시켜 썬루프 구동장치의 파손을 방지하기 위한 안전장치이다. 근래 출시되는 제품들은 센서에서 위치를 감지하여 제어하기 때문에 파손의 위험이 없다고 할 수 있다.

(3) 실링 sealing

실링은 통상 썬루프 프레임과 하부 프레임 사이에 배치되어 우천시에 물이 자동차 실내로 스며드는 것을 방지하는 기술이다. 실링에 관한 기술은 차체 프레임에 대한 개선과 함께 이루어지는 경우가 많다.

(4) 배수장치 drain system

썬루프에 고이는 물을 배수하기 위한 배수장치는 대부분의 썬루프에 기본적으로 설치되는 장치이며, 파노라믹 썬루프에서는 배수장치 없이 내부로 유입을 막는 러버를 사용하기도 한다. 애프터마켓 제품에서는 인 슬라이딩 방식의 제품에서 배수장치를 적용하고 있다.

(5) 연결부재

슬라이딩 썬루프에서 가이드와 썬루프 프레임 사이를 연결하는 부재를 말한다.

(6) 지지부재

지지부재는 주로 틸트형 썬루프에서 개방된 상태로 썬루프를 유지하기 위해 지지하는 역할을 한다. 수동으로 작동하는 틸트형 썬루프에서는 핸들에 일체된 구조가 많다. **151**

(7) 프레임 frame

썬루프 상부 프레임과 하부 프레임으로 구성되면 썬루프 전체의 골격에 해당하며 내구성을 고려하면 가장 중요한 부분이라 할 수 있다. 물의 누수를 방지하기 위한 실링기술과 프레임의 강성을 증가시키기 위한 기술이 상당 부분 차지하고 있다.

(8) 부가장치

부가구조는 특정한 목적에서 썬루프에 추가되는 구조를 말하며 가장 많은 비중을 차지하는 것이 **바람막이**Wind deflector였으며, 이 외에도 차양막 등이 포함된다.

2 썬루프 장착

신차의 자동차에 옵션으로 제공되는 썬루프는 해당 자동차에 알맞게 설계되고 오작동이 없도록 제작되고 또한 페인트 등 제품의 미려함을 기대할 수 있으며 또한 보증수리 및 애프터서비스도 해당 자동차 센터에서 받을 수 있는 장점이 있다. 물론 자동차 메이커에 따라서 기술적인 차이가 있을 수 있으나 안전하게 사용하는 데는 문제가 없다고 본다. 여기서는 주로 애프터 마켓에서 썬루프를 장착하는 과정을 기술한다.

(1) 루프 절곡

썬루프 장착을 위해서는 기존의 전·후면 유리와 헤드라이닝은 탈거해야 하며, 작업 순서는 아래와 같이 정리해 볼 수 있으며, 장착은 탈거의 역순으로 진행된다.

① 전·후면 유리 탈거
② 헤드라이닝 및 루프 탈거

▶ 출처 : 구글 검색, 스크린샷

그림 6-06 **전·후면 유리 및 헤드라이닝과 차체 루프 탈거**

(2) 프레임 제작

프레임의 경우 각 업체의 차량 특성에 따라 다양하게 설계되어질 뿐 아니라 기술적인
면에서도 다양한 특성이 나타날 수 있다.

▶ 출처 : 구글 검색, 스크린샷

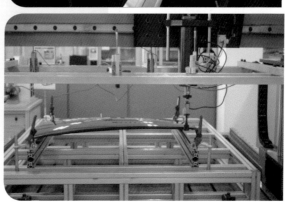

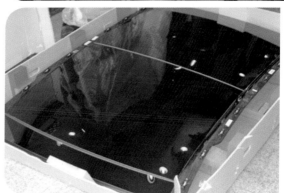

그림 6-07 썬루프 프레임 제작

153

(3) 루프 어셈블리 및 지지대 장착 과정

▶ 출처 : 구글 검색, 스크린샷

그림 6-08 썬루프 작업을 위한 접착제
실링 작업 & 장착될 썬루프

▶ 출처 : 구글 검색, 스크린샷

그림 6-09 루프 어셈블리 장착과정

(4) 마무리

썬루프 장착 후 탈거 하였던 헤드라이닝 및 내장재를 원상태로 장착하여주며, 탈착 하였던 트림 및 내장재를 장착 후 탈거하였던 전·후면 유리를 원상태로 장착 해주도록 한다.

▶ 출처 : 구글 검색, 스크린샷

그림 6-10 전·후면 유리 장착 및 작동 확인

▶ 출처 : 구글 검색, 스크린샷

그림 6-11 선루프 부착&작업이 완료된 차량

CHAPTER 7

자동차

데칼
튜닝

7 CHAPTER

데칼 튜닝

01 데칼 튜닝 계획

튜닝에서 데칼 작업은 **데칼**Decal의 사전적 의미는 '도안, 그림 등을 전사하다'라는 의미가 있지만, 우리가 흔히 아는 인쇄된 판박이를 전사하는 것이 아니라, 점착처리가 되어 있는 칼라시트를 디지털 컷팅기를 이용하여 글씨나 라인, 이미지 등을 제작하여 부착하는 방식과 점착처리 된 랩핑용 인쇄시트에 실사출력을 하여 다양한 색상 표현 및 패턴을 인쇄하여 부착하는 것을 의미 한다. 그리고 동호회스티커, 자동차 관련 샵로고 스티커, 등 작은 사이즈의 스티커도 넓은 의미에서 데칼에 포함된다고 보면 된다.

그림 7-01 데칼 예시   ▶ 출처 : 구글 검색, 스크린샷

상기와 같이 데칼은 자동차의 소유주 또는 목적에 의해 작업이 이루어지고, 개성을 표현하기 위한 데칼과 광고 및 선전을 위한 용도로 나뉜다. 부착방식에서도 건식 시공과 습식 시공으로 나뉘는데 이는 필름 사용 목적 및 필름재질에 따라 작업 방식이 다르기 때문이다.

1 데칼의 종류

데칼의 종류에는 부착부위, 부착내용, 브랜드데칼, 이용방법 등에 따라 나뉘며, 자동차 차체 전체이미지를 교체해주는 데칼 및 사용 목적에 따라 나뉘기도 한다.

(1) 스트라이프 Stripes 데칼

줄무늬 또는 일자형 패턴의 직선형 데칼을 통칭해서 부른다.

▶ 출처 : 구글 검색, 스크린샷

그림 7-02 스트라이프 데칼

(2) 타이포그래피 Typography 데칼

글자, 로고 등을 부착하는 데칼로, 주로 광고나 홍보 목적인 경우가 많다.

▶ 출처 : 구글 검색, 스크린샷

그림 7-03 타이포그래피 데칼

(3) 이미지 데칼

다양한 문양이나 그림을 표현한 데칼이다.

▶ 출처 : 구글 검색, 스크린샷

그림 7-04 이미지 데칼

(4) 카모 스타일 Camo Style

쉽게 표현해서 밀리터리 패턴의 데칼로 최근 몇 년 전부터 유행을 하기 시작한 패턴이다. 사실 카모스타일은 데칼의 한종류로 보기보다 데칼과 랩핑의 복합적인 개념으로 보는 게 맞다.

▶ 출처 : 구글 검색, 스크린샷

그림 7-05 카모 스타일 데칼

(5) 레이싱 데칼(팀 컬러)

레이싱카를 위한 작업으로 아래 나열된 모든 스타일을 포함하는 경우가 많다. 스타일을 위해서 스트라이프와 이미지를 적용하고. 팀 이름이나 스폰로고의 홍보효과를 위해 타이포그래픽을 적용한다.

▶ 출처 : 구글 검색, 스크린샷

그림 7-06 레이싱 데칼

(6) 컬러 랩핑 Color Wrap

필름으로 자동차 표면 전체를 씌우는 작업. 데칼의 범주에서 조금은 벗어난 작업이
지만 자동차 튜닝에서는 넓은 의미로써 같은 카테고리로 보면 된다.

▶ 출처 : 구글 검색, 스크린샷

그림 7-07 **컬러 랩핑**

(7) 부착부위에 대한 데칼

바이퍼라인, 사이드스컷, 루프스킨 등 부착 부위를 지정하여 부착하는 데칼 종류이다.

▶ 출처 : 구글 검색, 스크린샷

그림 7-08 **부착부위와 데칼**

(8) 브랜드 데칼

각 회사별 로고 및 대표 브랜드
로고를 제작하여 후드, 창문, 트렁
크 등의 소비자 개성에 맞게 부착
되는 데칼이 있다.

▶ 출처 : 구글 검색, 스크린샷

 7-09 **브랜드 데칼**

(9) PPF

이용방법에 따라 도장보호를 위
해 PPFPaint Protection Film를 차량
곳곳 부착하여 차량의 도장의 스
크레치를 보호 하는 목적도 있다.

▶ 출처 : 구글 검색, 스크린샷

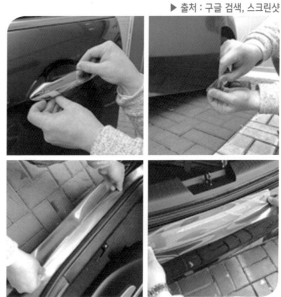

그림 7-10 **PPF**
(Paint Protection Film)

2 데칼 선택할 때 주의사항

고객이 마음에 드는 적합한 데칼을 선택할 수 있도록 종류 및 재질에 대해 충분히 설
명한 다음 고객의 의지를 정확하게 파악한 후에 부착할 데칼을 선정해야 한다.

02 데칼 튜닝 장착

1 데칼 디자인 작업

데칼 작업시 필수 사항으로 차량 도면에 이미지 또는 라인 등을 배치하여, 소비자가 표현하고자 하는 내용을 샘플로 제안하고, 디자인 도면을 근간으로 데칼 시트를 제작하는데, 모든 데칼 작업의 기초 단계로 보면 된다.

그림 7-11 디자인 도면

그림 7-12 도면작업의 예

〈예시〉

클라이언트가 원하는 스타일의 데칼디자인을 컴퓨터를 이용해 도면작업을 한다. 사이즈와 색상을 선택하고 가상의 이미지를 모니터를 통해 연출한다.

② 시트지 선정 및 고려사항

데칼 작업에서 대부분의 소비자 및 전문가들이라도 항상 등한시 하는 부분이 시트지 선정 및 고려사항이다. 이는 데칼 디자인을 연출하는데 있어 기초가 되는 시트지의 내구성 및 사용기간, 이용목적 등을 고려하여 단계적 선정을 해야 한다. 시트지 종류가 다양하기에 필수 작업으로 봐야 한다.

③ 데칼 시트 제작

시트지 선정이 끝나면, 디자인 된 도면을 기반으로 실사출력 장비, 디지털 컷팅기, 숙련된 시공자의 수작업을 통하여 시트 재단 및 제작을 진행 한다.

그림 7-13 **시트 제작 장비**   그림 7-14 **출력기를 통한 작업의 예**

〈예시〉

디자인작업이 완성되면 시트지를 커팅플로터를 이용해 제단을 한다. 실사출력인 경우는 출력기를 통해 이미지를 출력한다.

④ 데칼 튜닝 시공하기

(1) 시공 준비물

데칼 작업을 시작하기 위해서는, 스퀴지, 커터 칼, 분무기, 걸레, 세척제가 필요하다.

(2) 시공작업

① 작업을 위한 디자인과 차량의 디자인을 숙지해야 된다.

② 표면 이물질 유분 등을 세척해야 된다. 유분이나 이물질이 있으면 필름 표면에 그대로 나타나므로 깨끗한 세척을 중요시한다. 가능한 깨끗이 불순물을 제거하고, 탈지작업(기름기 제거)도 병행한다.

③ 표면세척이 끝나면 부착면에 디자인한 데칼 또는 필름을 부착한다. (건식필름 or 습식필름) 제단 된 필름의 사이즈에 따라 보조테이프(투명)를 이용한 건식작업과 세제가 용해된 물을 뿌려 부착하는 습식작업 두 가지를 잘 판단해서 작업한다.

④ 충분한 스퀴지법을 연습한 후 시공을 하는 것이 좋으며 필름 강제로 늘려서 시공하는 법은 잘못된 방식이다.

⑤ 건식필름 및 습식필름에 따른 준비물은 틀리다 .

⑥ 습식필름 분무기사용으로 시공을 해야 한다.

⑦ 건식필름 표면에 물기가 없어야 시공이 용이하다.

그림 7-15 데칼 튜닝 작업의 예

(3) 주의사항

① 넓은 데칼을 장착할 경우에는 한 번에 붙이려고 하면 주름이 잡히나 기포가 발생하여 좋지 않은 결과가 발생할 수 있기 때문에 데칼의 크기에 따라서 2~3조각으로 자른 다음 가장자리를 따라서 코팅 테이프를 붙이고 부분적으로 위치와 각도를 잘 확인하면서 작업한다. 그리고 이음매 가장자리의 코팅 테이프를 떼어내어 전체의 작업을 마친다.

② 자동차표면은 언제나 혹독한 환경과 스트레스를 받기 때문에. 필름소재는 중. 상급 이상의 브랜드 필름 이용을 권장한다. 재료비를 아끼기 위해 저가의 제품을 쓰는 경우에는 작업난이도도 높아지고, 변형 및 탈색 등, 필름 제거 시 문제발생 가능성이 높다.

CHAPTER **8**

자동차

에어로 파츠 튜닝

8 CHAPTER 에어로 파츠 튜닝

01 에어로 파츠 튜닝 계획

1 에어로 파츠 튜닝 아이템 선정하기

자동차에는 가장기본적인 세단, 해치백, SUV, 밴 스포츠카, 밴 트럭 등 다양한 형태와 다양한 기능을 가진 자동차들이 있다. 때문에 각각의 차량 특성에 맞추어 기획하고 아이템을 선정한다.

한편, 튜닝의 목적이 분명해야만 안전하고 올바른 방향으로 튜닝을 진행할 수 있다. 종종 과도한 튜닝으로 인하여 문제점들이 발생할 수 있음을 인지하고 사전에 충분히 자료를 검토한 후 튜닝을 기획한다.

2 에어로 파츠 튜닝 방향 선정하기

외부튜닝은 크게 익스테리어 디자인을 보완하는 튜닝과 익스테리어의 기능을 보완하는 튜닝으로 나눈다. 어떠한 튜닝을 실행할 것인가를 명확하게 구분한다.

(1) 익스테리어 디자인 보완

디자인 작업을 중점적으로 수행해야 되기 때문에 디자인과 모델링에 상당한 시간을 할애해야 한다. 자동차 제작사에서는 다수의 사람들을 만족시키는 것을 기준으로 차량을 디자인한다. 개인에 따라서 선호하는 디자인이 제각각 다르지만 모든 사람을 만족시킬 수는 없기 때문이다.

(2) 기능의 보완

편의를 위해서 추가하는 장치나 공력 특성을 강화하는 바디킷은 별도의 부품으로 제작되는 것이 일반적이다. 공기역학에 대한 지식과 차량 부품들의 기능도 이해하고 있어야 한다. 별도로 개발되는 바디킷인 만큼 차체와의 체결 방법이나 안전한 조립을 위한 연구도 필요하다.

02 에어로 파츠 튜닝 장착

자동차 튜닝의 시작은 외관 부터 시작한다고 해도 과언이 아니다. 주로 에어로 파츠를 이용한 외관 드레스 튜닝은 간단한 스티커 부착에서부터 전체 도색에 이르기까지 차량의 외관을 보다 멋지게 변경하는 것에 의미가 있다.

드레스업 튜닝은 도로교통법 42조에 따라 교통단속차량, 범죄자호송차량, 긴급자동차와 유사하거나 불쾌감을 주는 도색 또는 표지등의 튜닝은 피해야 한다. 야간에 밝은 빛을 발산하여 타인에게 피해를 주는 LED 튜닝 역시 드레스업 튜닝에 포함되지만 법령이 지정한 밝기, 색상이 같지 않거나 장착되는 위치에 따라 불법 튜닝으로 분류되기도 한다.

▶ 출처 : 나도 튜닝한번 해볼까?(네이버)

그림 8-01 에어로 파츠 튜닝

1 에어로 파츠 주요 튜닝 항목

에어로 파츠 주요 튜닝 항목은 여러 가지가 있지만 대표적인 것은 에어로 보닛, 전·후범퍼, 에어터널, 리어윙, 오버펜더 등이 있다.

(1) 에어로 보닛

일반적으로 순정 보닛은 철, 알루미늄 재질로 되어 있으며, 순정 보닛의 무게는 약 15~18kg 정도이다. 에어로 보닛은 FRP 또는 Carbon 제품 재질로 되어 있으며, **FRP 제품** 무게는 약 10kg 미만 이며, 드라이 카본 제품은 6kg 정도이다.

● FRP 제품 (Fiber-Reinforded Plastic 섬유강화 플라스틱)

유리섬유를 감화재로 한 복합재료를 일컬으며 플라스틱이 갖고 있는 내식성, 성형성이 있고 강도가 높고 가벼워 욕조, 헬멧, 항공기 부품에 사용되고 있다.

① 에어로 보닛 역할

튜닝 보닛은 여러 형태의 구멍들이 만들어져 있으며, 그 이유는 엔진룸에 있는 열기를 밖으로 방출 해 주기 위한 수단으로 주행 시 보닛 위로 흘러가는 바람을 이용해 엔진룸에 발생한 열기를 식혀주는 역할을 한다.

② 에어로 보닛 장착

에어로 보닛은 일반 보닛보다 강도가 약한 제품도 있기 때문에 주행 중에 날아가거나 파손될 가능성이 있으므로 추가로 보닛핀을 프레임에 장착한다.

▶ 출처 : 나도 튜닝한번
해볼까?(네이버)

그림 8-02 에어로 보닛

(2) 전 · 후 범퍼

일반적으로 범퍼는 FRP로 만들어져 있으며, 범퍼도 보닛과 같은 방식으로 라디에이터, 브레이크 등에 더 많은 공기를 주입해 전체적인 부분을 식히는 역할을 한다.

① 범퍼 역할

큰 사이즈의 라디에이터를 장착했을 경우 기존의 라디에이터보다 커지므로 하중에 의하여 지면쪽으로 내려가는 경향이 있어 라디에이터를 보호하기 위한 수단으로도 많이 쓰이고 있으며, 주행 중 하체로 흘러가는 공기의 속도를 약간 높이는 기능과 다운포스를 늘리는 기능을 가지고 있기도 한다.

② 범퍼 장착

차량의 범퍼에 장착되어 고속 주행 시 공기의 저항을 줄여주며, 차체가 노면에 밀착될 수 있도록 한다. 범퍼장착은 단순 부착하는 부착형과 기존의 범퍼와 교체하는 교체형이 있다. 제품에 따라 공기의 저항도가 다르다.

그림 8-03 **전 · 후 범퍼** ▶ 출처 : 나도 튜닝한번 해볼까?(네이버)

(3) 에어터널

덕트Duct는 여러가지의 형태가 존재하기 때문에 어느 부분에 장착하는지 어떤 부분을 냉각시킬지를 생각해서 상품을 선택해야 한다.

① **에어터널 특징 :** 덕트의 특징으로는 공기의 흐름을 고려해 적은 면적으로 공기를 안으로 들여보내는 방식과 안에 있는 공기를 밖으로 끌어내도록 디자인되어 있으며, 레이싱에서도 많이 사용한다.

② **에어터널 장착 :** 가공으로는 자기가 원하는 곳에 구멍을 뚫어 접착제와 리벳으로 고정 한다.우선적으로 냉각에는 브레이크와 엔진의 흡입구에 조금이라도 많은 공기를 공급하도록 장착하는 것이 좋다.

▶ 출처 : 나도 튜닝한번
해볼까?(네이버)

그림 8-04 에어터널

171

(4) 리어윙

일반적으로 차종에 따라서는 처음부터 리어윙, 자동 가변 윙이 장착된 차종을 볼 수 있다. 레이스 차량의 경우에는 꼭 필요한 부분이기도 하다. 원리는 차량이 빠른 속도로 달리게 되면 위로 뜨는 양력이 발생합니다. 바퀴가 지면에 밀착이 되지 않아 추진력을 얻기 힘든 상황이 발생하는데 이를 방지하는 역할이다.

① **리어윙 장착 장점 :** 공기의 흐름, 저항을 이용해 리어 트랙션을 높이는 기능을 가지고 있고 고속주행시 안정감을 느낄 수도 있다. 코너링에 관한 부분과 브레이킹 포인트의 변화로 인해 안정적인 운전을 경험할 수 있다.

② **리어윙 장착 단점 :** 공기의 저항을 이용하기 때문에 고속주행 시 스피드는 떨어지는 경향이 있다. 재질은 보닛과 같이 FRP, CARBON, 알루미늄으로 만들어지며 형태는 Low Down Force Wing, High Down Force Wing 2 가지가 있다.

그림 8-05 **리어윙(Rear-Spoiler)**

(5) 오버 펜더

일반적으로 각 나라마다 법률로 펜더 밖으로 타이어가 나오는 것을 금지하고 있다. 이 부분을 별도의 부품을 장착해서 트랙을 넓힐 수 있는 범위를 만들어가는 것이다.

각 나라의 자동차법이 다르기 때문에 그 나라에 맞는 법의 기준안에서 튜닝하여야 하며 국내에서는 오버 펜더 장착을 제한하였으나 최근에는 제한적으로 승인을 허용하고 있다. 오

▶ 출처 : 나도 튜닝한번 해볼까?(네이버)

그림 8-06 **오버 펜더**

버 펜더를 장착하는 목적은 Axle Track을 넓히기 위한 수단이다.

참고자료

● Axle Track : 왼쪽 타이어 센터에서 오른쪽 타이어 센터까지의 거리를 말함

03 차량 및 개발품목 선정

자동차가 발명되고 여러 세대를 거치면서 자동차는 사용목적과 기능 그리고 모양에 따라 수많은 종류가 생겨났다. 하지만 여기서 한걸음 더 나아가 개개인이 자신의 사용목적과 원하는 모양으로 만들고 싶은 욕구는 더더욱 강해지고, 이에 따라 개인의 욕구충족을 위해 튜닝을 하게 된다.

바디킷 튜닝은 자동차의 성능 및 외관을 자신만의 목적에 맞게 디자인하고 싶은 욕망에서 시작되었다고 볼 수 있다.

우선 자신의 특수한 사용목적을 위해 튜닝을 하는 것이라면 차량선택과 품목을 직접 선택하면 되겠지만 판매를 위한 것이라면 튜너들이 좋아하는 차종, 요구하는 품목 등 시장성을 고려하여 바디킷 개발을 계획한다.

1 차량 선정

개발 차량은 당시의 튜닝을 선호하는 차량을 우선으로 한다. 차량 판매량, 구매자 연령대, 관련 튜닝용품 종류와 판매량, 동호회 등에서 소비자의 요구 등을 조사하여 차량을 선정한다.

2 개발 품목 선정

바디킷은 차량에 장착할 수 있는 여러 가지 제품들을 통틀어서 일컫는 말이며 비슷한 의미로 에어로 파츠는 공기 역학을 고려하여 자동차 주행성능을 개선할 수 있는 기능적인 측면을 가진 제품을 말한다.

둘 다 자동차 외부적인 디자인을 변화시킨다는 점에서는 같은 의미이지만 현재 국내에서 많이 판매되는 제품들은 기능적인 측면보다 차량의 외적 디자인만을 변화시키는 것들이 대부분이다.

기능성 제품들은 개발 기간이나 비용이 많이 들기 때문에 개발하기 어려울 뿐 아니라 제품 가격이 높아서 많은 수요를 기대하기 힘들다. 따라서 차량의 외부디자인을 보완하거나 획기적으로 바꿀 수 있는 제품들을 적당한 가격에 개발하는 것이 판매로 이어지기 쉽다.

한 차량에 개발할 수 있는 제품은 무궁무진하게 많다. 차량에 안전하게 장착 또는 부착이 가능하고 기계적 운동능력을 요하지만 않는다면 많은 부품들을 대체하거나 추가할 수 있다.

우선 차량이 선정되면 오너들의 성향을 고려하고 그들이 요구하는 것들이 무엇인지를 파악하여 바디킷 개발 품목을 결정한다.

기본적으로 차량의 외관을 크게 변화시키는 앞, 뒤 범퍼 및 측면의 사이드 스컷에서부터 간단하게 차량의 인상을 변화시키는 아이라인, 기능적인 역할을 하는 스포일러 및 각종 덕트 등 선정된 차량의 오너들의 요구에 맞는 품목과 선호하는 디자인에 가깝게 개발하여야 한다.

3 바디킷 종류

바디킷은 용도, 개발방식 및 장착방법에 따라 몇 가지로 구분할 수 있다. 기능성을 갖춘 제품인지 외부 디자인에 초점을 맞춘 제품인지 순정부품을 대체하는 제품인지 추가하는 제품인지 등등 어떤 제품을 개발할 것인지 선택하여야 한다.

(1) 기능성 제품

차량의 주행성능에 초점을 맞춘 제품으로 외부적으로 보이는 부분도 차량 고유의 디자인을 해치지 않아야 하겠지만 풍동실험, 주행테스트 등 여러 테스트를 통해 차량 성능을 개선할 수 있는 제품이다. 주로 경기용 자동차에 사용되며 개발기간이나 비용이 많이 들어간다. (ex: 스포일러, 언더커버, 오버펜더, 카나드 윙, 덕트류, 스플리터 등등)

(2) 디자인 제품

차량 외부디자인의 부족한부분이나 오너가 원하는 부분을 고려한 제품으로 다수의 의견을 수렴해 개발한다. 생산성이나 가격을 고려하기도 한다. (ex: 앞뒤 범퍼, 사이드스커트, 스포일러 등등 거의 모든 제품)

(3) 교체형 제품

순정 부품을 대체할 수 있는 제품으로 차량의 구조를 이해하고 장착방법등을 고려하여 제작하며 디자인을 다양하고 자유롭게 할 수 있다는 장점이 있지만 장착시 순정

품과 같은 방식으로 제작하기 어려울 수 있기 때문에 장착방법을 바꾸거나 별도의 부품을 제작하여야 하는 번거로움이 있다. (ex: 범퍼류, 후드, 트렁크, 펜더, 도어, 라디에이터 그릴 등등)

(4) 추가형 제품

차량의 부품들을 분해하지 않고 있는 그대로의 상태에서 제품을 부착하는 방식으로 디자인을 다양하게 할 수 없는 단점이 있긴 하지만 개발기간도 절약할 수 있으며 생산성이 좋아서 가격을 저렴하게 책정할 수 있어서 소비자들이 쉽게 접할 수 있다. 특히 주의할 점은 차량 외부에 부착하는 제품이므로 주행시 떨어져 나갈 수 있으므로 어떻게 견고하게 장착을 할 것인지 고려해야 한다. (ex: 앞뒤 범퍼 립, 사이드 스컷(부착형), 디퓨져, 스플리터, 스포일러 등등)

4 바디킷 개발 품목 선정

차량 외부에 장착할 수 있는 바디킷 종류는 생각보다 다양하다고 볼 수 있다. 위에 소개된 품목들 이외에도 안전하게 장착만 가능하고 법규에 어긋나지만 않는다면 전혀 새로운 품목을 만들어 낼 수도 있다.

개발자는 소비자의 요구와 생산성, 시장성 등 여러 가지 자료들을 토대로 개발품목을 선정하여야 한다.

04 디자인 선정

1 디자인 선정시 고려사항

디자인을 하기 위해서는 고려해야할 사항들이 몇 가지 있다. 소비자의 취향, 장착성, 생산성, 안전성, 국내 법규 등을 고려하여 디자인하여야 한다.

(1) 소비자의 의견을 반영한 디자인

선정된 차량의 오너들이 개성 있는 독특한 스타일을 선호하는지, 원래의 디자인에서 티 나지 않게 자연스러운 스타일을 선호하는지, 차량의 손상을 어느 정도 감안할 수 있는지 등에 대한 성향을 파악하고 차량의 어느 부분을 어떻게 보완이 되기를 원하는 가를 반영하여 디자인한다. 또한 전 세계적으로 판매되는 다양한 제품들을 참고하여 유행하거나 튜너들이 선호하는 디자인을 참고하는 것도 디자인을 결정하는데 많은 도움이 된다.

(2) 장착성을 고려한 디자인

바디킷은 순정 부품 교체형으로 개발할 수도 있으며 순정상태에서 추가적으로 부착하는 형태로 개발할 수도 있다. 교체형의 경우 디자인은 자유롭게 할 수 있지만 순정 부품처럼 견고하게 장착하기 위해서는 장착 방법을 바꾸거나 추가적으로 다른 부품을 사용하기도 한다. 부착형은 개발이 비교적 쉽긴 하지만 디자인이 한정적이고 이 또한 역시 주행시 안전을 위해서 견고한 장착이 가능해야 한다.

자동차는 고속으로 주행하기 때문에 견고하게 장착되지 않는다면 큰 위험을 감수해야 하므로 제품 디자인시 충분히 고려하여야 한다.

(3) 생산성을 고려한 디자인

제품 개발, 생산시 주로 사용되는 복합소재(카본, FRP 등)는 저비용으로 다양한 제품을 만들 수 있는 장점이 있지만 주로 소량으로 판매되는 제품들이라 국내에서는 대부분 수제작으로 제품을 개발, 생산하고 있다. 따라서 불량률을 줄이고 개발, 생산시 비용과 시간을 줄이기 위해서는 복잡하고 구현이 힘든 디자인 보다는 원래의 의도를 해치지 않는 한도내에서 단순화 시켜야 한다.

(4) 안전성 및 법규를 고려한 디자인

국내 허용되는 법규내에서 차량운행에 지장이 없고 안전을 확보할 수 있도록 디자인 하여야 한다. 너무 돌출되거나 과하게 낮은 지상고는 차량손상과 보행자의 안전에 위협 이 될 수 있다.

② 스케치 및 렌더링

차량 선정과 개발품목이 결정되면 스케치를 시작으로 렌더링, 포토샵, 3D 프로그램 등을 사용하여 머릿속에 구상하고 있던 디자인을 표현해 본다. 전문적인 디자인 교육을 받은 사람들에게는 간단한 일이겠지만 그렇지 못한 사람이라면 간단한 스케치나 참고할 만한 제품사진을 준비하는 것도 좋은 방법이다.

생각하고 있는 디자인은 모델링 작업을 통해서 100% 구현하기가 어렵기도 하고 세밀한 부분이나 잘못된 부분은 수정작업이 이루어져야 하므로 구상하는 제품의 의도를 크게 벗어나지 않는 수준의 간단한 스케치만으로도 제품 개발이 불가능하지는 않다. 최대한 실사에 가깝게 표현 하도록 하며 입체적인 느낌이 나도록 표현해야 한다. 참고하는 디자인은 가능하면 실물로 확인하여 정확하게 표현하는 것이 모델링하는데 많은 도움이 된다.

완성된 디자인은 여러 사람들과 공유하면서 충분한 의견을 수렴하고 수정, 보완 후 최종 결정한다. 필요하다면 최종 결정된 디자인을 3D로 구현하여 확인한다면 더 좋을 것이다. 3D는 입체적인 표현이 가능하며 실제 모델링과 거의 동일하다.

③ 모델링 (목업)

모델링은 디자이너가 구상하거나 그림으로 표현된 디자인을 실물로 구현하는 작업이다. 그리고 실물로 제작한 것이 마스터 모델(원형모델)이 되고 이 마스터 모델을 이용해서 제품 생산에 필요한 몰드(틀)를 만들게 된다. 모델링 과정을 통해 구상한 디자인을 실물로 확인하면서 구현하기 힘들거나 불가능한 부분은 수정 및 보완 작업을 반복하여 최대한 구상한 디자인에 가깝게 표현한다.

177

(1) 모델링 재료

모델링 시 사용하는 재료는 매우 다양하고 어떠한 재료이건 모델링의 재료가 될 수 있다. 하지만 원하는 모양을 쉽고 빠르고 정확하게 표현할 수 있고 취급이 용이한 재료를 선택하여 사용하는 것이 작업시간과 비용을 절약 하는데 도움이 된다. 가장 보편적으로 많이 사용하는 재료 몇 가지를 소개한다.

① 폼

우레탄 폼, 스티로폼, 골드폼, 화이트폼 등은 가공성이 좋고 가격이 저렴하다. 부피가 큰 형상이나 대략적인 형상을 빠른 시간 내에 구현할 수 있는 장점이 있지만 세밀한 형상을 표현하기는 어려우며 한번가공하면 수정하기 어렵다. 골드폼이나 화이트폼같이 밀도가 높은 폼은 비교적 자세한 형상도 가능하긴 하지만 최종적으로는 폼 표면에 레진이나 퍼티 등을 이용하여 자세한 형상을 구현해야 한다.

② 공업용 클레이

클레이는 조형작업에서 매우 자유롭게 형태를 표현할 수 있는 성질을 가지고 있다. 특히, 2차 곡면, 3차 곡면 등 자유 곡면이 많은 형태 표현에는 가장 적합하다. 또한 디자이너가 점토를 덧붙이거나 깎는 등 쉽게 변형해가면서 생각을 발전시켜 형태를 완성해나갈 수 있다는 점이 최대 장점이다. 소재로써는 그 자유로운 조형적 특성이 최대 장점이지만, 강도나 표면처리 등에는 난점이 있다. 여기에 운반, 보관 등의 불편도 함께 뒤따른다. 그러나 제작자가 원하는 이미지의 추구에는 그 형상과 적당한 재료를 선택하는 것이 중요한 일이므로 손쉽게 조형할 수 있는 점토는 모델링 재료로써 매우 중요한 비중을 갖는다.

가장 대표적인 인더스트리얼 클레이는 플라스틱계의 유점토로써 치수의 정밀도가 높아 정밀한 모델을 만드는 데 적합하다. 클레이는 모델링 제작에 가장 많이 사용되는 재료이며, 다른 재료에 비해서 제작이 쉽고, 여러 차례의 수정이 가능하다. 클레이는 화학적으로 만든 점토이기 때문에 상온에서는 단단하다.

그림 8-07 **공업용 클레이**

따라서 클레이를 사용하기 위해서는 클레이 오븐에 50℃ 정도로 3~4시간 데워서 작업하기 쉬운 유연도로 조정하면서 사용한다. 클레이는 60℃ 이상이 되면 성분이 파괴되므로 주의해야 한다.

③ 레진

레진은 클레이와는 성격이 완전히 다른 모델링 재료이다. 주제와 경화제를 1 : 1 비율로 반죽하면 상당히 단단한 재질로 굳어진다. 보통 소프트와 하드, 일반 경화와 빠른 경화로 나뉜다. 단단한 재질이기 때문에 모양의 변화나 수정이 클레이 보다 어렵다. 따라서 클레이로 디자인을 확정 후 더 이상 수정이 거의 없을 경우에는 레진으로 모델링한다. 그리고 비교적 간단한 형상이나 구상한 디자인의 수정이 거의 없다고 한다면 클레이 모델링을 거치지 않고 곧바로 레진으로 모델링하는 것이 유리하다.

클레이나 레진 모두 유해성과 위험물 취급에 관한 내용을 숙지한 후 작업을 해야 한다. 또한 재료에 맞는 공구 사용에 대해서도 습득해야 한다.

그림 8-08 레진

④ 목재, 철재, 플라스틱, 천, 종이류 등

모델링 재료는 제한이 없다. 구상한 디자인을 표현하는데 좀 더 쉽고 정확하게 마스터 모델을 만들 수 있으면 좋은 재료라고 할 수 있다.

(2) 모델링

공장에서 출고된 순정 상태의 차량을 준비한다. 튜닝이 되어 있는 차량보다는 순정 차량을 기본으로 모델링해야 변화의 범위를 파악하는 데 수월하다.

① 차량 준비

차종 선택 시 너무 어두운 색상은 피하는 것이 좋다. 밝은 색상의 차량이 모델링 작업에 좀 더 수월하다. 너무 어두운 색상이면 전체적인 면과 형상을 이해하고 판단하는 데 어려움이 따른다. 또한 휠과 타이어, 지상고의 변화가 있는 차량은 제외하도록 한다. 가능하면 순정 상태 그대로의 차량으로 모델링을 진행하는 것이 가장 바람직하다.

② 범퍼 탈거

정해진 순서에 따라서 범퍼를 탈거한다. 차종별로 작업 방식이 모두 다르기 때문에 미리 탈거 방법을 숙지하과 적합한 공구를 준비해야 한다. 모델링에 필요한 범퍼를 장착하기 전에 범퍼와 체결되는 프런트 휀다 주변에는 테이프를 미리 붙여준다. 장착 과정과 모델링 시 손상을 미연에 방지하기 위함이다. 엔진룸과 부품 프레임 등에도 모두 비닐과 테이프를 사용하여 이물질이 들어가지 않도록 처리한다.

③ 기본 범퍼 보강

바디킷을 제작하기 위해서 준비된 범퍼는 도색이 되지 않은 기본형의 범퍼이다. 디자인에 따라서 절단을 하고 새롭게 만들기 때문에 가격이 저렴한 기본 범퍼를 준비한다. 프런트 범퍼를 장착하기 전에 범퍼의 후면에 레진으로 미리 보강 작업을 한다. 너무 많이 보강 작업을 하면 프레임이나 부품 등이 간섭되므로 조금씩 보강하면서 범퍼가 장착될 수 있도록 한다.

먼저 디자인된 형상대로 모델링을 해야 하기 때문에 변경되는 부위에도 추가로 형상을 만들어 준다. 나중에 범퍼를 탈거해도 새롭게 모델링된 범퍼가 휘거나 변형 없이 형상을 유지하는 것이 중요하다. 준비된 프런트 범퍼를 차에 장착한다. 보강작업과 모델링 재료 등으로 인하여 무게가 많이 증가되었으므로 장착 후 범퍼의 하단에 안전하게 지지대를 설치한다. 이때 차체가 수평이 될 수 있도록 조절한다. 다음으로 디자인 형상을 표현한다. 레진 또한 굳기 전에는 밀가루를 반죽한 것과 비슷하기 때문에 범퍼에 붙여가며 모양을 만드는 데 수월하다. 디자인대로 모델링하기 위해서는 조금 더 여유 있게 도포해야 형상을 완성할 수 있다.

그림 8-09 기본 범퍼 준비

그림 8-10 기본 범퍼에 레진 보강

④ 레진 모델링

레진 도포 후 공구를 이용하여 전체적인 형상을 만든다. 이후 레진 표면에 퍼티를 도포한다. 레진만으로는 완전한 표면 처리가 불가능하기 때문에 더 단단한 재질의 퍼티를 도포하는 것이다.

⑤ 퍼티 모델링

그림 8-11은 퍼티를 완전히 도포한 상태로, 샌딩기와 사포, 조각칼 등을 활용하여 디테일한 모델링을 수행하는 단계이다. 전체적인 형상을 디테일하게 작업한다.

디자인대로 또는 더 발전된 형상이 나올 수 있도록 지속적으로 수정한다.

그림 8-11 보강 작업 후 모델링 중인 사진

⑥ 디테일 모델링

전체적인 형상이 확정되었다면 라인테이프를 활용하여 정교한 면과 각도, 라인 등을 정리한다. 좌우의 한쪽 부분만 완성시키고 치수 도구를 활용하여 반대편도 똑같은 형상으로 만든다.

디자인에서 모델링을 수행하다 보면 디자인대로 작업이 이루어지는 경우는 극히 드물다. 특히 부분 변경인 바디킷은 여러 번의 디자인 변경이 이루어진다. 작업 중인 차량의 사진과 최종 결정된 디자인과는 그릴 부분에 차이가 있다. 모델링 중에도 디자인 작업은 계속되며 원하는 형상이 표출될 때까지 같이 병행한다.

그림 8-12 모델링 중인 사진

그림 8-13 프런트 바디킷 제작 완료 사진

⑦ 완성된 바디킷 탈거

모델링이 완성된 바디킷은 탈거하여 최종 마무리한다. 처음에 레진으로 기본 범퍼를 보강하였기 때문에 형상이 뒤틀리거나 변형되지 않는다.

그림 8-14 **탈거된 바디킷 원형**

⑧ 최종 마무리

완성된 바디킷의 원형은 탈거하여 써페이서를 도포한다. 최종적으로 확인 과정을 거친다. 미세한 기포나 잘못된 부분을 수정하고 완벽하게 표면처리를 한다. 최종 마무리 공정이 몰드의 품질을 결정하기 때문에 상당히 중요한 공정이라고 할 수 있다. 종이 샌드페이 #400에서 #2000까지 작업하며 샌딩 후 콤파운드로 광택 작업까지 수행한다. 표면의 광택을 활용하여 리플렉션을 확인하면 잘못된 부분이 드러나기 때문에 실수한 부분도 수정할 수 있다. 더불어 표면의 광택이 좋을수록 이형에 더 유리하다. 또한 차에 장착되어 있을 때보다 더 정교한 작업이 가능하기 때문에 부족한 부분이 있다면 더 심도 있는 마무리를 수행한다.

4 자동차 외관 튜닝 FRP 몰드 제작하기

FRP몰드는 비용이 적게 드는 장점이 있지만, 작업자에 따라서 품질이 달라지는 단점이 있다. 플렌지 제작과 안전한 적층을 계획하고 준비한다면 좋은 품질의 몰드를 제작할 수 있다. 날짜별로 적층계획을 세우고 적층되는 유리섬유도 종류별로 준비하고 적층하도록 한다. 특히, 몰드의 형상과 크기에 따라서 재료와 몰드의 두께가 틀려지므로 이에 대비한 준비를 철저히 한다.

(1) 플렌지 제작

몰드 제작에 플렌지 작업은 필수이다. 플렌지를 만들기 위해서 완성된 범퍼의 주변에 포맥스와 플라스틱 책받침을 활용하여 플렌지를 형성한다. 큰 면은 포맥스를 사용하고 굴곡이 심한 부분은 곡면 표현이 자유로운 책받침을 사용한다. 플렌지는 몰드의 구조적인 강도를 증가시키며, 제품의 컷팅 라인 기준이 되기도 한다. 또한 분할된 몰드를 결합시키는 역할도 한다.

플렌지 작업 이후에는 이형처리 공정이다. 최근에는 액상 타입의 이형제를 선호한다. 고체 이형제보다 시간과 효율성이 높다. 한 번에 많은 양의 액상이형제를 코팅하면 흘러내린 자국과 몰드 표면이 지저분해지기 때문에 얇게 여러 차례에 걸쳐 코팅 작업을 한다. 또한 충분한 시간을 두고 코팅을 해야 한다. 짧은 시간에 여러 번의 이형 작업은 불필요하며 수십 분 간격으로 이형 작업을 해야 한다.

그리고 이형처리의 완료 상태는 몰드 표면에 테이프를 붙여 확인한다. 테이프가 자연스럽게 떼어지면 이형이 완료된 상태이다. 테이프가 잘 떨어지지 않는다면 추가적인 이형 처리를 진행한다. 반대로 테이프가 너무 쉽게 잘 떨어질 정도의 이형처리도 문제가 될 수 있다. 유리섬유 적층 시 탈형하기 전에 몰드 표면에서 떨어질 수도 있기 때문이다.

그림 8-15 몰드 제작 준비 중인 바디킷 원형

(2) 몰드 전용 겔코트 도포

몰드 전용 겔코트를 도포한다. 몰드용 겔코트는 어두운 색상을 사용하는 것이 일반적이다. 어두운 색상일수록 광택이 우수하므로 몰드의 표면 상태를 체크 하는 게 쉽기 때문이다. 몰드용 겔코트의 경화시간은 최대한 늦추도록 한다. 빠른 경화는 수축률을 크게 하며 자칫 불량의

그림 8-16 몰드전용 겔코트 도포

원인이 될 수 있다. 완전 경화 후에는 얇게 도포된 곳에 추가적으로 도포한다. 겔코트를 도포할 때 사용하는 붓은 미리 깨끗하게 준비하도록 한다.

(3) 유리섬유 적층

겔코트 완전 경화 후 유리섬유와 몰드전용 수지를 사용하여 적층한다. 또는 상온경화용 비닐에스테르 수지를 사용해도 무관하다. 또한 두 가지의 수지를 번갈아가며 사용해도 된다.

써페이스 매트를 사용하여 첫 번째로 적층한다. 한 장만 적층하며 붓과 룰러를 사용하여 겔코트와 써페이스 매트 사이의 기포를 완전히 제거한다. 균일한 두께로 적층할 수 있도록 한다. 그리고 유리섬유를 적층하기 전에 각진 부분은 미리 충진제로 메꾸어 놓는다. 각진 부분은 유리섬유로 적층하기 힘들기 때문에 유리섬유로 적층할 수 있는 환경을 미리 만들어 놓는 것이다. 매트와 얀크로스, 로빙크로스를 사용해서 적층한다. 매트와 얀크로스는 두께별로 제품이 다양하기 때문에 몰드의 크기와 형상에 따라서 적절한 재료를 사용한다.

그림 8-17 **유리섬유 적층**

(4) 장시간 적층

범퍼는 부피가 크기 때문에 하루에 모든 적층을 할 수 없다. 3일에서 5일 정도의 기간이 소요되는 게 일반적이다. FRP는 수축율이 크기 때문에 수축율을 최소화하기 위해서 충분한 시간을 두고 적층한다.

(5) 몰드 보강

유리섬유 적층 완료 후 플렌지 부분을 정리하고 철골 구조로 몰드를 보강한다. 이때 플렌지 부위를 기준으로 보강하며, 제품에 해당되는 부위에는 보강재를 사용하지 않는다. 몰드의 형상에 따라서 보강되는 부분은 모두 다르지만, 플렌지를 기준으로 보강된다는 점에서는 같다.

제품에 해당되는 부분에 직접 보강재를 사용하면 직접적인 변형과 더불어 향후 몰드의 표면에 영향을 줄 수 있으므로 피하는 것이 좋다. 먼저 플렌지에 고정할 각관을 일정한 크기대로 준비한다.

플렌지에 밀착시켜야 하므로 짧게 잘라서 준비한다. 이어서 플렌지에 고정할 각관을 중심으로 용접을 통해 골격을 만들어 나간다. 그리고 모든

그림 8-18 **완성된 몰드에 보강**

골격이 완성되면 플렌지에 위치시키고 플렌지에 완전히 고정한다. 처음부터 플렌지에 고정하고 골격을 만들어 간다면 용접 시 몰드를 변형시키므로 절대로 피해야 한다.

(6) 완성된 바디킷 탈거

완성된 몰드에서 원형을 떼어낸다. 완성된 몰드에서 원형을 탈형할 때에는 조심스럽게 여러 번에 나누어서 떼어 내야한다. 한 번에 탈형하는 것은 불가능하다. 원형을 탈영하면 부분적으로 몰드가 깨어지는 부분이 발생하기도 한다. 먼저 몰드의 바깥쪽 면을 고무망치로 두드리면서 몰드와 원형이 분리될 수 있도록 충격을 준다. 그리고 적당한 힘을 가하여 두드리도록 한다. 고무망치라고 해도 큰 힘이 가해지면 몰드에 손상을 줄 수 있으므로 조심한다.

이어서 가장자리의 벌어진 부분에 에어를 불어서, 부분 혹은 전체적으로 탈형이 이루어지도록 한다. 공구나 도구를 사용하여 가장자리부터 분할하여 떼어낸다. 공구나 도구 사용시 몰드 면에 손상이 안 가도록 조심스럽게 작업하며 조금씩 안전하게 떼어 내도록 한다. 마지막으로 부분적인 몰드 표면이 깨지는 경우에는 똑같은 재료를 사용하여 보수한다.

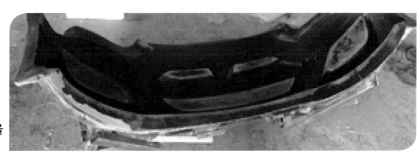

그림 8-19 **모델링된 원형을 몰드에서 분리**

(7) 몰드 표면의 광택처리와 이형처리

탈형 후에는 몰드의 전체 면을 고운 샌드페이퍼로 최대한 깨끗하고 매끄럽게 처리한다. 최종적으로 연마기를 사용하여 콤파운드로 마무리한다. 몰드의 표면이 제품의 품질을 결정한다. 표면처리 이후에는 액상 이형제로 이형처리 한다. 이형처리 방식은 동일하다.

(8) 겔코트 도포

몰드의 표면이 검정색이기 때문에 검정색과 대비되는 색상의 겔코트를 도포한다. 너무 밝은 색상은 겔코트와 유리섬유 사이의 기포가 잘 안보이기 때문에 피하는 것이 좋다. 약간 진한 회색 계열을 사용하는 것이 일반적이다. 시제품 제작 사진을 보면 그릴과 라지에이터 부분까지 모두 도포한 것을 볼 수 있다. 이렇게 전체적으로 도포 작업을 한 후 탈형을 해야만 깨끗하게 몰드를 사용할 수 있다.

그림 8-20 시제품 제작 사진

(9) 적층 완료 후 재적층 하기

자동차의 바디킷은 도색 시 고온에서 열처리 과정을 거치기 때문에 도색 완료 후 불량의 원인이 된다. 따라서 모서리나 각이 있는 부분은 유리섬유로 적층하기에는 상당히 어려운 작업이다. 따라서 충진제를 따로 만들어서 적층 전에 미리 메꾸어 놔야 한다. 그리고 제일 얇은 #300 유리섬유로 첫째 장을 적층한다. 롤러와 붓을 활용하여 겔코트와 유리섬유 사이의 기포를 완전히 제거한다.

또한 수지가 고이는 것도 확인하며 꼼꼼히 작업한다. 유리섬유를 잘라서 붙일 경우에는 두께가 틀려지므로 전체적으로 균일한 두께가 되도록 적층을 한다. 또한 첫째 장이 굳으면 공업용 커터칼을 사용하여 플렌지를 따라 제품 이외의 적층면을 컷팅한다.

나중에 한 번에 컷팅하는 것보다 훨씬 수월하다. 그리고 적층된 표면을 거친 사포로 정리한다. 튀어나온 곳이 있다면 다음 장 적층 시 기포발생의 원인이 된다.

마지막으로 #380 #450 매트를 적층한다. 이때도 롤러와 붓을 활용하여 기포를 제거하면서 작업한다. 이때 범퍼의 체결부위는 좀 더 보강하며, 필요하다면 얀크로스도 같이 적층한다. 형상에 따라서 보강 적층을 해야 한다면 추가 작업을 수행한다.

(10) 시제품 탈형 후 컷팅과 홀 가공, 샌딩 공정 수행

적층 후 중간에 공업용 커터칼로 컷팅을 했다면 샌드페이퍼로만 정교하게 마무리한다. 처음부터 그라인더로 컷팅할 경우에는 샌드페이퍼로 마무리할 부분을 조금 남겨두고 컷팅한다. 그라인더로 한 번에 컷팅하는 것은 정교한 마무리가 어렵다. 좀 더 좋은 품질을 위해서 샌드페이퍼로 마무리할 것을 권장한다.

그림 8-21 **시제품 완료 사진**

5 FRP 시제품 완성도 확인하기

디자인에 대한 완성도는 개인별로 선호하는 성향이 모두 다르므로 정확한 평가는 할 수 없다. 아무리 좋은 디자인이라고 해도 여러 가지 변수가 작용하기 때문에 디자인을 평가하기는 어려운 일이다. 하지만 품질에 대해서는 정확하게 평가할 수 있을 것이다.

(1) FRP 표면 품질 확인하기

일반적인 FRP 제품은 표면이 일정하지 않다. 몰드의 표면이 균일하지 않거나 제작 시 불량이 발생되기 때문이다. 불량이 있다면 육안으로도 확인이 가능하기 때문에 몰드의 문제인지 제작 상의 문제인지를 확인하고 수정한다.

(2) 기포 확인하기

기포는 FRP 제품의 가장 흔한 불량이다. FRP 제품을 열처리 하면 표면에 불량으로 나타난다.

6 바디킷 부품 결합하기

단제품으로 만들어지기도 하고 여러 가지 부품이 결합되어 하나의 제품으로 만들어지는 것도 있다. 범퍼는 물론이고 스포일러, 디퓨져 등은 여러 가지 부품을 별도로 제작하기도 한다.

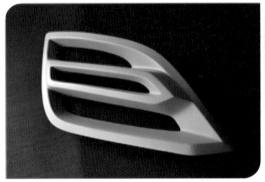

그림 8-22 데이라이트 / 안개등 커버 부품

그림 8-23 바디킷에 부품을 조립

7 바디킷 체결부위 확인하기

바디킷의 결합은 순정차량이 기준이 된다. 순정 차량의 체결부위를 임의로 변경하거나 수정할 수는 없기 때문에 원래 위치에 결합할 수 있도록 맞추어야 한다. 제작된 바디킷의 체결부위가 순정차량에 올바르게 체결되는지를 확인한다.

그림 8-24 펜더 체결 부위

그림 8-25 후드 체결 부위

05 바디킷 조립 및 장착

1 바디킷 부품 조립하기

바디킷의 디자인과 품질을 높일 수 있는 마지막 수단이다. 에프터 마켓 용품도 완성도가 높은 제품이 많이 있으므로 잘 활용하도록 한다.

(1) 부품 조립

완성된 바디킷에 도장을 완료한 후에 그릴망과 안개등의 기본적인 사양을 적용한다. 그릴망은 사출로 제작된 완성도 높은 제품들이 많이 있으므로 바디킷에 어울리는 그릴망을 선택하도록 한다.

안개등이나 LED는 인증된 에프터마켓 용품이나 순정제품을 사용하도록 한다. 그릴망과 안개등은 바디킷의 후면에 장착되어지며 탈부착이 가능하도록 별도의 체결 장치를 바디킷에 부착한다.

그림 8-26 데이라이트 장착

그림 8-27 바디킷 부품 조립 완료

(2) 라이센스 플레이트 장착

라이센스 플레이트를 장착한다. 라이센스 플레이트가 엔진 냉각을 방해하지 않도록 위치시켜 체결하도록 한다. 라이센스 플레이트를 접거나 심한 각도로 차량의 번호를 인식하기 어렵게 장착하는 방법은 피하도록 한다.

그림 8-28 라이센스 플레이트 장착

2 완성된 바디킷 장착하기

장착도 기술이 필요하다. 기술에 따라서 장착의 완성도가 결정되기 때문에 연구와 숙달이 필요하다. 모든 튜닝 부품들이 안전하게 체결될 수 있도록 한다.

(1) 바디킷 장착

차종마다 조립 방법이 다르기 때문에 처음 탈거했던 순서의 역으로 조립한다. 장착 기술이 부족하면 완성도 높은 조립이 어려우므로 충분한 숙달이 필요하다. 바디킷을 올바르게 제작하였다면 순정품과 거의 동일한 장착성을 갖는다. 하지만 누구나 쉽게 장착 할 수 있도록 정확한 순서와 방법을 숙지하고 있어야 한다.

그림 8-29 순정과 거의 동일한 체결 부위

그림 8-30 장착이 완료된 사진

(2) 차량의 바디와 유격 확인하기

단차와 유격은 최종 결과물에서 가장 중요한 요소이다. 자동차는 각각 다른 부품들이 조립되어 한 덩어리를 이루고 있다. 이런 기본적인 요소들이 완전하지 않으면 잘못 제작된 바디킷이다.

단차나 유격이 심하다면 무엇이 문제인지를 파악하고 수정하여야 한다. 바디킷은 문제가 없지만 장착이 잘못된 경우도 있으므로 탈거 후에 다시 장착하면서 문제점들을 확인하여야 한다.

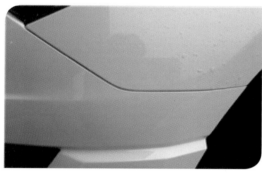

그림 8-31 펜더와 바디킷의 체결 부위

그림 8-32 전체적인 바디킷 체결 사진

(3) 체결 상태 확인하기

장착 완료 후 주행 테스트와 일정한 하중을 가하여 안전하게 장착이 되었는지를 확인한다. 자동차는 공기역학에 민감하므로 반드시 확인 과정을 거쳐야한다. 예를 들어 장착된 스포일러가 다운포스를 이기지 못하고 떨어져 나가는 경우도 있다. 프런트 바디킷이나 그 외에 다른 튜닝 부품들도 새롭게 장착되었기 때문에 달라진 주행성과 그에 대한 문제점을 파악하고 체결의 안전성을 확인한다.

06 완성된 바디킷 평가

FRP로 시제품의 디자인과 실제 형상으로 만들어낸 결과물의 차이점을 확인한다.

1 완성된 바디킷

(1) 디자인 평가

한 가지 디자인을 10명이 모델링한다면 똑같은 디자인이지만 10가지 다른 모양이 나올 것이다. 같은 디자인이지만 각도, 라운드, 비례 등이 달라지면 느낌도 달라지기 때문이다. 좋은 디자인과 결과물은 이 모든 것들이 모두 갖추어 졌을 때 가능한 것이므로 이러한 부분들을 평가하고자 노력해야 할 것이다.

(2) 품질 평가

FRP 바디킷은 수제품이다. 사람이 만들기 때문에 모든 제품의 품질이 일정할 수는 없다. 하지만 일정 수준 이상의 품질은 만들 수 있다. 자동차의 표면은 모든 부품들이 결합되어 매끄럽게 만들어져 있다.

바디킷도 기존 자동차의 표면과는 동일한 수준으로 만들어져야 할 것이다. 특히, 앞 범퍼는 후드, 펜더와 자연스럽게 한 덩어리처럼 보이기 때문에 가장 높은 수준의 작업을 요구한다고 할 수 있다.

(3) 기능적인 측면과 바디킷의 체결 안전성

자동차는 기능성을 고려하여 디자인이 되어 있다. 때문에 디자인을 바꾸어 새롭게 만들었다 하더라도 기존 제품의 기능은 기본적으로 수행되어져야 한다. 기본적인 엔진 냉각과 주행성은 갖추어져야 할 것이다. 또한 순정형의 체결 방식을 다양한 방법으로 변경하기 때문에 체결 안전성에 대해서 확인하고 평가하는 일은 제일 중요한 부분이다. 도색 전에 임시로 장착하여 제대로 모든 위치에 체결이 되는지 확인하고 실제로 여러 가지 환경에서 주행하여 이상 유무를 평가한다.

2 등화류에 대한 지식

바디킷을 최종적으로 완성하기 위해서는 등화장치 장착이 필수적이다(필수적이진 않으며 제품에 따라서 등화류를 배제시키는 경우도 있음). 바디킷을 돋보이게 하고 안전한 주행을 위해서라도 장착을 권장하는 추세이다. 인증을 받은 제품이라면 별다른 문제없이(전조등은 제외) 장착할 수 있다. 다만, 제작한 바디킷에 맞는 등화 장치를 설치할 수 있는 지식과 기술을 필요로 할 뿐이다. 바디킷을 제작하기 위해서는 자동차의 구조에 대한 전반적인 지식은 물론 전기장치에 대한 기본적인 지식도 필수이다.

3 장착공구의 종류

바디킷이나 튜닝 부품을 장착하기 위해서는 적절한 공구 사용을 위한 지식과 이해가 필요하다. 기본적인 공구 이외에도 수많은 종류의 공구가 있기 때문에 이에 대한 이해가 반드시 필요하다. 바디킷은 별도로 제작된 수제품이므로 간혹 용도에 맞게 새로 제작된 공구가 요구되기도 한다. 요컨대 자동차의 기본 구조에 새롭게 제작된 튜닝 부품을 안전하게 장착하기 위해서는 적절한 공구 사용이 필요하다.

4 지지대 (브라켓)

바디킷이 순정품과 100% 동일한 장착성을 갖추는 것은 불가능하다. 하지만 체결 부위가 불안전하다면 별도의 지지대를 장착하여 안전한 체결을 유지하여야 한다. 별도의 지지대는 FRP 또는 금속 재질을 가공하여 제작한다. 이때 중요한 것은 장착성이 쉬워야 하므로 충분한 연구과 여러 가지 방법을 통하여 최적의 장착성을 찾아야 한다.

CHAPTER **9**

자동차

외관
튜닝

9 CHAPTER 자동차 외관 튜닝

01 자동차 외관 튜닝 계획

자동차의 외관을 구조변경하기 위해서는 구조변경에 관한 규정을 통해 튜닝 절차와 승인가능성 여부를 확인해야 한다. 기획단계에서 제작하고자 하는 튜닝 분야의 정확한 이해와 법적인 절차를 확인한 후에 튜닝을 진행한다. 이로써 자동차의 외관구조 변경에 따른 문제를 최소화하고 안전기준에 적합하도록 튜닝을 할 수 있다.

1 승인이 필요한 튜닝

자동차의 외관을 구조변경 하고자 할 때에는 **교통안전공단 자동차검사소**에서 구조·장치 변경 승인을 받아야 하며 온라인에서도 **교통안전공단 사이버검사소**(www.cyberts.kr)에서 신청할 수도 있다.

특히 자주 발생하는 캠핑카, 하드 탑, 구형에서 신형으로 변경하는 경우 등은 승인을 받아야 하는 튜닝이다. 최근 확산된 캠핑 문화로 인해 흔히 볼 수 있게 된 캠핑카 등은 모두 승인절차가 필요한 튜닝이다. **자동차 튜닝에 관한 규정**(국토교통부고시 제2016-0)을 정리하면 다음과 같다.

(1) 규정

① 길이, 너비, 높이(범퍼, 라디에이터그릴 등 경미한 외부변경의 경우를 제외한다)

② 총중량(차량중량, 최대적재량 및 승차정원에 65kg을 곱한 중량의 합계를 말한다)

(2) 승인대상 장치

① 원동기(동력발생장치) 및 동력전달장치 ② 주행장치

③ 조향장치 ④ 제동장치

⑤ 연료장치 ⑥ 차체 및 차대

⑦ 연결장치 및 견인장치 ⑧ 승차장치 및 물품적재장치

⑨ 소음방지장치 ⑩ 배기가스발산방지장치

⑪ 내압용기 및 그 부속장치

⑫ 전조등, 기타등화장치(인증을 받은 등화장치의 변경은 승인 제외)

⑬ 기타 자동차의 안전운행에 필요한 장치로서 국토교통부령이 정하는 장치

(3) 승인기준

① 모든 차종의 변경 후 구조 및 장치는 안전기준 그밖에 다른 법령에 따라 자동차의 안전을 위하여 적용하여야 하는 기준에 적합할 것

② 변경 후의 자동차가 다음에 해당하는 경우는 승인을 제한할 것

• 자동차의 총중량이 증가되는 구조 및 장치의 변경

  ※ 예시: 차축의 무게에 상당하는 적재함 길이 축소가 없이 차축의 추가 설치

• 자동차의 종류가 변경되는 구조·장치의 변경

• 화물자동차의 물품적재장치 면적 $2m^2$(특수용도형 경형화물은 $1m^2$)에 미달(적재함 높이는 기존 높이 적용), 화물자동차 ↔ 특수자동차 또는 승용자동차

• 변경전보다 성능과 안전도가 저하될 우려가 있는 경우의 변경

• 승차정원 또는 최대적재량의 증가를 가져오는 승차장치 또는 물품적재장치의 변경

③ 다음의 경우에는 승인제한 규정에도 불구하고 승인 허용

• 승차정원 또는 최대적재량을 감소시켰던 자동차를 원상회복하는 경우

• 동일한 형식으로 자기 인증되어 제원이 통보된 자동차의 승차정원 또는 최대적재량의 범위 내에서 이를 증가 시키는 경우

• 화물자동차의 경우 동형·동급의 범위 안에서 자동차의 길이·너비·높이(하대내측 또는 차체제원 중 작은 기준 적용)의 변경 허용

• 동형동급이란 제작자(소규모제작자의 경우 소규모제작자명)가 같은 화물자동차중

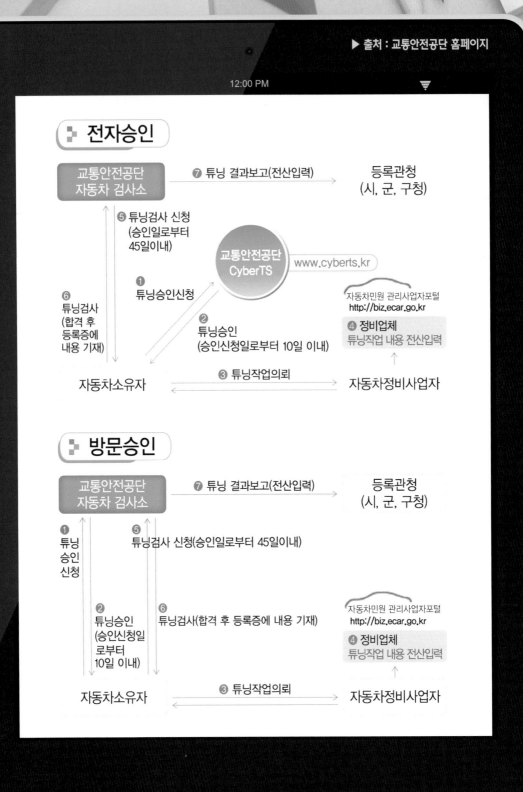

그림 9-01 승인 절차

축간거리, 원동기마력 및 최대적재량의 3개 제원이 작거나 같은 경우를 말함
- 차대 또는 차체가 동일한 승용자동차·승합자동차의 승차정원 중 가장 많은 것의 범위 안에서 당해 자동차의 제작자가 변경 후의 성능과 안전도가 적정하다고 인정하여 승차정원을 증가시키는 경우

(4) 승인절차
- 승인은 전자승인과 방문승인이 있으며 왼쪽 페이지의 그림을 참조할 것

2 승인이 필요 없는 튜닝

루프캐리어, 선바이저, 후드, 색상변경, 범퍼(법규에서 제시하는 제원을 충족), 사이드 스커트, 스포일러, 각종 파츠 등 애프터마켓용 튜닝은 승인이 필요 없는 가장 일반적인 튜닝이다.

① 에어 스포일러 air spoiler

- 공기흐름을 컨트롤하기 위한 장치
- 노즈 스포일러 : 전면에 설치하는 스포일러
- 테일 스포일러 : 후단에 설치하는 스포일러

② 에어 댐 air dam

- 공기흐름을 라디에이터 → 엔진 → 자체하부로 유도시켜 조항륜하중 증가, 엔진냉각효율 및 로드홀딩을 향상시키는 기류 유도부품

③ 펜더 스커트 fender skirt

- 휠하우스 기능과 유사한 펜더에 설치한 타이어 덮개

④ 후드/윈도우 디프렉터 hood / window deflector

- 후드 디프렉터 : 엔진후드 선단의 손상을 방지하기 위한 프로텍터
- 윈도우 디프렉터 : 앞유리창과 엔진후드의 각진부분에 설치한 공기흐름 유도 visor(날개판)

⑤ 후드스쿠프 hood scoop

- 엔진후드(엔진룸 덮개)의 터보차저 공기흡입구 engine hood = bonnet

⑥ 선바이저 sunvisor

- 선바이저 : 차체 창틀 상부에 설치된 빗방울 및 햇빛 가리개
- 루프바이저 : 차체 지붕에서 후면 창유리의 윗부분 햇빛 가리개

⑦ 롤 바 roll bar

- 오픈카 또는 레이싱카에서 전복시 승객을 보호하는 강관 지주 (경주용차 또는 소프트탑의 차 실내에 설치)

⑧ 루프 캐리어 roof rack

- 자동차 지붕에 짐을 싣기 위한 용구 roof carrier = roof rack

⑨ 런닝보드 rinning board

- 다목적형 승용차 등의 차체 승강문 하부에 부착된 발판

▶ 출처 : 교통안전공단 홈페이지

그림 9-02 승인이 필요 없는 튜닝

3 승인이 불가능한 튜닝

법규에서 제시하는 제원을 넘어서는 범퍼, 철재 범퍼, 도어 열림 방식 변경, 미인증 LED 등이 있다.

02 자동차 외관 튜닝 장착

1 외관 튜닝 제작

(1) 디자인 및 도면

차종 및 변경하고자 하는 범위 또는 부품을 선택 후 새로운 디자인을 시행한다. 자신의 머릿속에 있는 아이디어나 형상을 구체화하는 과정이다. 디자인 능력과 차량의 구조 및 기능에 대한 기본적인 이해와 지식이 필요하다. 자동차의 부분별 형상을 제대로 알지 못하면 디자인 개발은 불가능하다.

(2) 스케치 및 렌더링

가장 손쉽게 언제 어디서나 자신의 아이디어를 구체화 할 수 있는 방법이다. 기본적인 디자인 능력을 요구하기 때문에 디자인에 대한 지식이 반드시 필요하다. 자신 혹은 개발자의 머릿속에 있는 형상을 표현해야 되기 때문에 디자인 능력과 함께 상호 원활한 소통 능력도 필요하다. 또한 렌더링 재료인 색연필, 파스텔, 마카 등의 도구에 대한 숙달이 요구된다.

그림 9-03 마카와 파스텔 등을 활용한 스케치

그림 9-04 마카와 파스텔 등을 활용한 렌더링

(3) 포토샵 및 그림판

디자인에 필요한 일반적인 소프트웨어이다. 초보자도 단기간에 활용할 수 있기 때문에 가장 많이 활용되고 있는 디자인 프로그램이다. 2D이므로 이미지를 표현하는 데에는 한계가 있지만 이미지를 빠른 시간에 완성할 수 있다. 변경하고자 하는 실제 차량의 사진을 기본으로 수정 작업을 거친다. 2D이기 때문에 여러 각도의 사진을 구해서 작업을 해야 완성도를 높일 수 있다.

원본사진　　　　　　　　　　　포토샵을 활용한 바디킷 디자인

그림 9-05 **2D 프로그램을 활용한 그림**

(4) 3D 프로그램

알리아스 오토 스튜디오, 라이노 등 3D 프로그램으로도 모델링 할 수 있다. 가장 사실적이기 때문에 사전에 충분한 검토가 가능하다는 장점이 있다. 실물에 가깝게 표현 가능하지만 프로그램 숙달에 많은 시간을 필요로 한다. 이러한 난점에도 불구하고 3D 프로그램으로 먼저 모델링을 할 경우 실제 모델링 작업 시에 발생될 수 있는 문제점을 미리 예방할 수 있다는 메리트가 있다. 기본적으로 top view, left view, back view, perspective view 화면으로 구성되어 있기 때문에 대상물의 형상을 수월하게 확인할 수 있다.

(5) 복합소재

복합소재란 서로 다른 성질과 성분을 가진 물질들을 결합, 재료의 특성과 장점을 극대화하고 결점을 보완하여 만든 재료이다. 여러 재료의 조합으로 기존 소재의 한계를 넘을 수 있는 재료라 할 수 있다. 대표적인 예로는 유리섬유와 수지를 복합시킨 유리섬유 강화 플라스틱을 들 수 있다. 또한 탄소섬유와 에폭시수지, 페놀수지 등을 결합시킨

탄소섬유 계통의 복합재도 폭넓게 사용되고 있다.

외부 튜닝의 가장 일반적인 재질은 FRP와 카본이다. 초기 디자인과 설계 과정에서 바디킷의 재질과 몰드 제작을 고려해두어야 된다. 잘못된 디자인은 몰드 제작을 어렵게 하고 자칫 바디킷 제작이 불가능하게 될 수도 있다. 거의 모든 몰드와 생산품은 FRP로 제작되기 때문에 복합소재에 관한 사전 지식은 필수이다. 기획 단계부터 어떠한 재질로 제작할 것인가를 결정하고 진행해야 한다. 폴리프로필렌(PP)는 순정 자동차 범퍼 등에 많이 사용되어지는 플라스틱이다. 최근에는 바디킷도 순정과 동일한 재질인 PP 로 제작되고 있다. FRP로 제작할 경우보다는 비용이 많이 들지만 대량생산이 가능하다.

한편 섬유강화플라스틱 **FRP**fiber reinforced plastics는 섬유로 강화한 플라스틱계통의 복합재료이다. 비중이 일반 FRP가 약 2.0 정도로 철강 재료의 1/4 정도로 가벼우며, 또한 카본으로 강화한 **CFRP**carbon fiber reinforced plastics의 경우는 비중이 약 1.5로 FRP보다 더욱 가벼워 뛰어난 기계적 특성을 갖고 있다. FRP의 일반적인 제작 공법은 아래와 같다.

① 핸드 레이 업 hand lay up

일반적으로 핸드 레이 업을 선호한다. 초기 투자비용이 거의 없으며 조금만 숙달되면 누구나 제작할 수 있다. 모든 작업은 수작업이며, 작업자의 숙련도에 따라서 제품의 품질이 결정된다.

② 스프레이 업 spray up

몰드에 스프레이건을 사용해서 수지를 내뿜어 성형하는 방법을 말한다.

③ 진공(감압) 백 / 인퓨전 vacuum bag / infusion

몰드에 유리섬유나 카본을 레이업한 후 필름으로 밀봉하여 진공성형 장비를 이용하여 성형한다. 장비가 비교적 저렴한 게 장점이며 높은 품질의 성형품을 제작할 수 있다.

④ 오토클레이브 autoclave

오토클레이브 성형은 카본을 이용하여 고품질의 성형품을 제작하는 장비이다. 고온 고압에서 성형이 되기 때문에 최고의 품질을 보장한다.

2 외관 튜닝 모델링 재료와 사용법

모델링은 자신의 아이디어를 실질적인 형태로 표현해 낼 수 있는 능력이 요구되는 프로세스이다. 모델 제작 단계에서는 스케치로 표현할 수 없는 양감, 질감, 색채뿐만 아니라 조작, 촉각 등 **인간적 요소**human factor 및 환경에 속하는 **공간적 요소**space factor까지도 포함하여 검토될 수 있다. 모델 제작은 제품다운 이미지를 구체화시키며, 디자인의 의도를 전달하여 확인하는 수단인 것이다. 바디킷을 만들기 위해서는 원형(마스타)이 있어야만 한다. 원형을 완성해야만 몰드를 제작하고 바디킷을 만들어낼 수 있다.

원형을 제작하는 재료는 만들고자 하는 대상에 따라서 다양하게 적용할 수 있다. 나무, 포맥스. 박스, 도화지, 클레이, 레진 등 모든 것이 재료가 될 수 있다. 바디킷을 제작하는 가장 대표적인 재료는 클레이와 레진이다. 클레이와 레진은 재료의 재질과 모델링 방향이 완전히 다르기 때문에 작업자의 능력에 맞는 재료를 선택하도록 한다.

(1) 점토 모델

점토는 조형작업에서 매우 자유롭게 형태를 표현할 수 있는 성질을 가지고 있다. 특히, 2차 곡면, 3차 곡면 등 자유 곡면이 많은 형태 표현에는 가장 적합하다. 또한 디자이너가 점토를 덧붙이거나 깎는 등 쉽게 변형해가면서 생각을 발전시켜 형태를 완성해나갈 수 있다는 점이 최대 장점이다. 소재로써는 그 자유로운 조형적 특성이 최대 장점이지만, 강도나 표면처리 등에는 난점이 있다. 여기에 운반, 보관 등의 불편도 함께 뒤따른다.

그러나 제작자가 원하는 이미지의 추구에는 그 형상과 적당한 재료를 선택하는 것이 중요한 일이므로 손쉽게 조형할 수 있는 점토는 모델링 재료로써 매우 중요한 비중을 갖는다.

가장 대표적인 인더스트리얼 클레이는 플라스틱계의 유점토로써 치수의 정밀도가 높아 정밀한 모델을 만드는 데 적합하다. 클레이는 모델링 제작에 가장 많이 사용되는 재료이며, 다른 재료에 비해서 제작이 쉽고, 여러 차례의 수정이 가능하다. 클레이는 화학적으로 만

그림 9-06 **공업용 클레이**

든 점토이기 때문에 상온에서는 단단하다. 따라서 클레이를 사용하기 위해서는 클레이 오븐에 50℃ 정도로 3~4시간 데워서 작업하기 쉬운 유연도로 조정하면서 사용한다. 클레이는 60℃ 이상이 되면 성분이 파괴되므로 주의해야 한다.

(2) 레진 resin

레진은 클레이와는 성격이 완전히 다른 모델링 재료이다. 주제와 경화제를 1 : 1 비율로 반죽하면 상당히 단단한 재질로 굳어진다. 보통 소프트와 하드, 일반 경화와 빠른 경화로 나뉜다. 단단한 재질이기 때문에 모양의 변화나 수정이 어렵다. 대신 디자인의 변화가 거의 없을 경우에는 레진으로 모델링하는 것이 유리하다. 클레이나 레진 모두 유해성과 위험물 취급에 관한 내용을 숙지한 후 작업을 해야 한다. 또한 재료에 맞는 공구 사용에 대해서도 습득해야 한다.

그림 9-07 레진

205

부록

사단법인

한국자동차튜닝 산업협회

Korea Auto Tuning Industry Association

(사)한국자동차튜닝산업협회는 전문가 인증을 위한 튜닝자격 검정시험 시행 및 자격증 발급, 튜닝전문 인력양성을 위한 특성화고 및 특성화대학교 지정, 튜닝사업자를 위한 사업장 실사 및 튜닝 사업등록증 발급, 대외 경쟁력 강화와 시장확대를 위한 우수 튜닝부품 수출지원, 우수 튜닝부품의 시장 진출을 위한 시험·평가 및 품질보증제 시행, 튜닝의 활성화 및 사업장의 안정적인 사업영위를 위한 튜닝클러스터조성, 튜닝문화의 저변확대를 위한 전시회 및 숙련기술 장려를 위한 기능대회 개최, 드래그 레이스, 드리프트, 짐카나 등 모터스포츠를 위한 상설경기장 건립 및 경기대회 개최, 자유로운 튜닝과 자동차산업의 부흥을 위한 네거티브 형태의 자동차 튜닝산업 진흥법안 추진등을 진행하고 있습니다.

김필수

사단법인 한국자동차튜닝산업협회 회장
(現) 대림대학교 자동차학과 교수

우리나라는 자동차생산국 순위 5위를 기록할 정도로 세계 자동차산업발전에 일익을 담당하고 있습니다. 그러나 성능보다 생산에 치우치는 국내 자동차산업의 한계로 더 이상 순위 상승을 힘들게 하고 있는 실정입니다. 이제 비로소 국내 자동차튜닝산업도 기지개를 펼 수 있게 되었습니다. 자동차튜닝은 산업의 질적 행상을 위해 키워내야 하는 성장 동력입니다. 우리 협회는 국내외 자동차산업 연구 및 정책연구 등 다양한 개선방안을 마련해 나가면서 소비자권익을 보호하는 등 튜닝분야와 더불어 자동차산업을 발전시켜 나가도록 더욱 노력하겠습니다.

협회연혁

2019. 05
- 자동차튜닝산업 활성화를 위한 토론회 및 전시회 개최
  한국건설생활환경시험연구원(KCL)과의 업무협약(MOU)체결

2019. 03
- 자동차튜닝사 2급 국가공인 심의 신청
  자동차튜닝산업법안 입법발의

2019. 02
- 직업훈련학교 MOU 체결 8개 기관
  제5회 자동차튜닝사 2급 자격검정시험 시행

2018. 12
- 에스에이치컴퍼니(포천레이스웨이), "레이싱페스티벌" 개최 협약 체결

2018. 10
- 제4회 자동차튜닝사 2급 자격검정시험 시행

2018. 07
- 서울 오토살롱 개최
  중국 영성시와 튜닝산업활성화 MOU 체결
  제3회 자동차튜닝사 2급 자격검정시험 시행

2018. 01
- 고용노동부 대한민국명장 직종으로 자동차튜닝 고시, 시행
  한국표준직업분류(KSCO) 자동차튜닝원 시행
  협회 운영이사회, 전국지부.지회 (72개지역) 및 분과위원회 제3기 구성
  제2회 자동차튜닝사 2급 자격검정시험 시행

2017. 12
- 미국 튜닝부품 수출지원 1차기업 선정 및 품질보증 Q마크인증 시험기관 평가시행
  미국 SEMA 전시회 참관 및 SEMA(튜닝협회)의 한국멤버쉽 파트너사 가입등록

2017. 11
- 협회, 홍익대, 창원문성대학교간의 융복합 R&D사업을 위한 산학협력 체결

2017. 10
- 이베이, 아마존 공동 자동차튜닝부품 미국수출을 위한 사업설명회 개최

2017. 08
- 8월 제1회 자동차튜닝사 2급 자격검정시행
  전국 16개 대학과의 자격연계 자동차튜닝 인력양성을 위한 협약체결

2017. 07
- 자동차튜닝전문 인력 양성을 위한 전국대학 사업설명회 개최
  한국표준사업분류(KSIC) 자동차튜닝업 시행 및 한국표준분류(KSCO) 자동차튜닝원 고시

2017. 05
- 경기대학교 자동차튜닝공학과 신설을 위한 기초 연구 용역

2017. 02
- 산업통상자원부 튜닝산업 실태 조사를 위한 기초연구 용역

2017. 01
- 충북제천시 자동차튜닝클러스터 구축을 위한 로드맵 연구 용역
  한국표준산업분류 자동차튜닝업 고시

2016. 12
- 자동차튜닝 교수협의회 구성 산.학.관 워크샵 개최
  인천 송도 자동차 A&T 센터 자동차튜닝부분 제안사업 참여

2016. 09
- 영종도 오성산테마파크 자동차경기장 건립추진

2016. 08
- 자동차산업인적자원개발위원회(ISC) 우선협상기관 최종선정

2016. 07
- 산업부 & 국토부 주최 2016 서울오토살롱 주관

2016. 06
- 자동차튜닝사외 2개부분 민간자격 등록

2016. 04
- NCS기반 자동차튜닝외 5개분야 학습모듈 개발사업 수행

주요사업

전문인력 양성

· 원격훈련기관 업무 : 스마트–온라인교육
· 자동차튜닝 교육 · 훈련 프로그램 운영 : 학습교재 및 프로그램 개발
· 튜닝전문 교육 · 훈련 시행 : (특성화지정) 대학기관 및 고등학교 연계
· 모터스포츠 전문가 양성프로그램 운영 : 드라이버, 미케닉, 오피셜 등
· 자격검정시험 시행 : 자동차튜닝사(1급, 2급), 자동차튜닝평가사, 자동차튜닝장 등
· 자동차튜닝 대한민국명장 기능대회 시행 : 지역, 전국, 국제 기능올림픽대회

유통 및 홍보

· 수출지원 프로그램 운영 : 수출대행, 자금지원, 시장개척 등
· 자동차튜닝 전문전시회 주관 : 서울오토살롱 및 국제 전시회
· 튜닝정보이력정보 시스템 운영 : QR코드 및 전산화 지원
  튜닝부품사, 튜닝센터 및 튜닝업체 분야별, 등급별 인증 업무 수행
· 튜닝부품 및 튜닝업무 방송프로그램 홍보 지원
· 자동차튜닝 방송프로그램 제작

제도 및 품질보증

· 튜닝부품 품질보증 기관 업무 수행
· 튜닝부품 품질보증 Q마크인증 시행
· 튜닝부품 및 튜닝업무 하자보증제 시행
· 자동차튜닝산업 진흥법 입법추진

튜닝업체 지원

· 튜닝업등록증 발행 업무
· 자동차제작자 지원 : 다목적형
· 자동차제작사 튜닝부품 A–OEM 지원
· 전기자동차 및 자율주행차 튜닝프로그램 지원
· B2B 튜닝부품 쇼핑몰 운영
· 클린사업장 조성 및 오폐수처리 지원

모터스포츠 & 튜닝클러스터 조성

· 테스트베드기반 클러스터 : 지자체별 (상설경기장 포함)
· 자동차경주대회 개최 : 드래그, 드리프트, 짐카나, 오프로드 등
· 튜닝클러스터 입주기업 구성 : 입주사 자금지원, 네트워크 구축,
  자동차경주대회 개최

조직도 (16개지부, 16개 분과, 440여개 회원사로 구성)

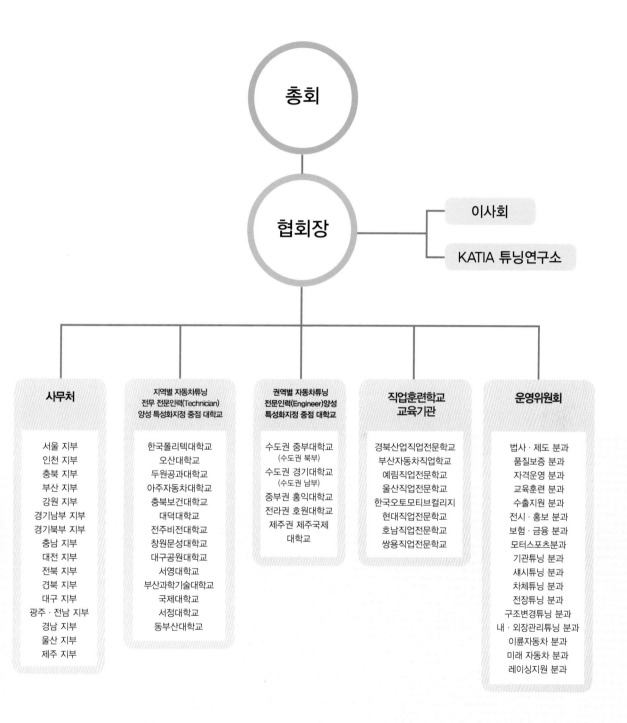

총회

협회장

이사회

KATIA 튜닝연구소

사무처

서울 지부
인천 지부
충북 지부
부산 지부
강원 지부
경기남부 지부
경기북부 지부
충남 지부
대전 지부
전북 지부
경북 지부
대구 지부
광주 · 전남 지부
경남 지부
울산 지부
제주 지부

**지역별 자동차튜닝
전무 전문인력(Technician)
양성 특성화지정 중점 대학교**

한국폴리텍대학교
오산대학교
두원공과대학교
아주자동차대학교
충북보건대학교
대덕대학교
전주비전대학교
창원문성대학교
대구공원대학교
서영대학교
부산과학기술대학교
국제대학교
서정대학교
동부산대학교

**권역별 자동차튜닝
전문인력(Engineer)양성
특성화지정 중점 대학교**

수도권 중부대학교
(수도권 북부)
수도권 경기대학교
(수도권 남부)
중부권 홍익대학교
전라권 호원대학교
제주권 제주국제
대학교

**직업훈련학교
교육기관**

경북산업직업전문학교
부산자동차직업학교
예림직업전문학교
울산직업전문학교
한국오토모티브컬리지
현대직업전문학교
호남직업전문학교
쌍용직업전문학교

운영위원회

법사 · 제도 분과
품질보증 분과
자격운영 분과
교육훈련 분과
수출지원 분과
전시 · 홍보 분과
보험 · 금융 분과
모터스포츠분과
기관튜닝 분과
섀시튜닝 분과
차체튜닝 분과
전장튜닝 분과
구조변경튜닝 분과
내 · 외장관리튜닝 분과
이륜자동차 분과
미래 자동차 분과
레이싱지원 분과

협회 사업 성과

2019
· 자동차튜닝산업법안 입법발의
· 자동차튜닝산업 활성화를 위한 국회 토론회 및 전시회 주관
· 자동차튜닝산업 입법을 위한 간담회 주관 시행

2018
· 고용노동부, 『숙련기술장려법』 시행령에 따라 "자동차튜닝", 〈대한민국명장 직종〉 선정 완료
· 우수 자동차튜닝부품, ebay, Amazon 미국 국내 최초 온라인수출 시행
· 자동차튜닝부품, 공인시험기관을 통해 국내최초 품질보증 Q마크인증 시행
· 자동차튜닝업자의 자질향상과 권익보호를 위한 자동차튜닝업등록증 발급업무 시행

2017
· 자동차튜닝엔지니어 육성방안으로 발표한 자동차튜닝사 자격검정시험 시행
· "자동차튜닝기사" 제4차 산업혁명 등 미래유망분야 국가기술자격 신설추진
  → 산업부&국토부 요청
· 자동차튜닝 전문인력 양성을 위한 전국 19개대학 협약체결
  → 특성화대학지정 및 튜닝학과목 신설추진

2016
· 한국직업능력개발원, 국가직무능력표준(NCS) "자동차튜닝" 학습모듈개발 수행
· 한국산업인력공단, 산업별 ISC공모 〈자동차산업 인적자원개발위원회〉 우선협상 단체로 선정
· 제13차 사회관계장관회의, 〈정부 육성·지원 신직업〉 "자동차튜닝엔지니어" 선정 완료

2015
· 통계청, 한국표준산업분류(KSIC) "자동차튜닝업(30202)" 신설추진
  → 2017년 7월 1일 시행 완료
· 통계청, 한국표준직업분류(KSCO) "자동차튜닝원(75107)" 신설추진
  → 2018년 1월 1일 시행 완료
· 강원도 인제 자동차튜닝클러스터 조성 연구용역 수행
  → 2016년 12월 산업부 예산집행 완료

2014
· 자동차튜닝전시회 서울오토살롱, 산업통상자원부 주최, 협회 주관 시행
  → 공식전시회인정 획득

자격제도와 교육과정

▶ 자동차튜닝사 (1급, 2급)

자격종목	등급	검정기준
자동차 튜닝사	1급	전문가로써 뛰어난 자동차튜닝 능력을 가지고 있으며 자동차 기관튜닝 차체튜닝, 섀시튜닝, 전장튜닝, 구조변경튜닝 등 활용수준이 상급단계에 도달하여 한정된 범위 내에서 자동차튜닝교육자, 자동차튜닝센터 사무를 수행 할 기본능력을 갖춘 상급 수준
	2급	자동차 튜닝분야의 기술을 보유하고 있으며, 업무수행과 관련 하여 상급자의 일반적인 지시 및 감독 하에 튜닝작업을 수행 할 기본능력을 갖춘 중급 수준

▶ 자동차튜닝장

자격종목	등급	검정기준
자동차 튜닝장	단일 등급	자동차 튜닝분야의 전문지식과 기술보유로 특정한 문제의 해결을 제시할 수 있고, 현장의 튜닝설비와 인력을 고려한 튜닝작업 설계와 타인에게 컨설팅을 할 수 있는 전문능력을 갖춘 자로 자동차튜닝업장에서 업무를 주도 할 수 있는 자율책임을 갖춘 전문가 수준

▶ 자동차튜닝평가사

자격종목	등급	검정기준
자동차튜닝 평가사	단일 등급	자동차 튜닝분야에 대한 포괄적인 진단지식과 튜닝상태를 진단하고 분석·평가할 수 있는 능력과 자동차튜닝과 관련된 신기술의 습득으로 새로운 장비의 운용이 가능하고, 자동차튜닝상태에 따라 가격 및 시세 평가가 가능하며, 튜닝작업이 적법하게 이뤄지는지를 평가 할 수 있어야 하고, 품질보증과 자동차성능검사와 시험평가 분에서 뛰어난 전문가 수준

▶ 자동차튜닝 교육센터 교육과정 소개

스테이지1 - 튜닝	스테이지2 - 튜닝	스테이지3 - 튜닝
튜닝 메이커의 대량 생산 과정에서 생산단가와 가공시간 및 공정에서 오는 결함을 해결하는 정도의 튜닝을 말하며 메이커 설계 싱의 성능을 목표로 한다.	컨셉에 따라 운전자가 보유 자동차의 불만부분을 해소 하는 단계로 설계상의 성능보다 향상된 성능을 목표로 한다.	처음 출고된 자동차의 성능에 관계없이 고출력 고성능의 주행 성능을 목표로 하는 튜닝을 말한다.
1. 자동차 공학 2. 내연기관 3. 자동차섀시 4. 기계공작법 5. 자동차전기 6. 용접기초 7. 자동차튜닝 개론	8. 진동학 9. 열역학 10. 재료역학 11. 기구학 12. 제도(2D/3D CAD) 13. 자동차요소 설계 14. 용접응용 15. 자동차튜닝 기초	16. 동력학 17. 기계설계 18. 제도 (Catia) 19. 도면해석 20. 유체역학 21. 기계공작법 22. 자동차튜닝 응용

(사)한국자동차튜닝산업협회 **사업목표**

▶ 입법 : 청년 일자리창출과 튜닝산업 활성화를 위한 "네거티브형태의 튜닝산업 진흥법" 입법 추진 중

▶ 자격 : 전문가 인증과 양성을 위해 시행 중인 "자동차튜닝사"〈국가공인〉 자격 획득 추진 중 (2019년)

▶ 등록 : 자동차튜닝업 사업등록증 발급에 따른 국세청연계 사업자등록 신청 및 추가등록 시행

면적기준
가. 부대시설 면적이란, 작업장을 제외한 사무실, 검차장, 부품창고, 휴게실 등을 포함한 사업장 운영공간
나. 사업장 면적이 500㎡ 이상일 경우 건축법에 따라 산업지역에 위치해야 하고, 500㎡ 미만일 경우 제2종 근린생활 지역에 사업장 위치

시설기준
가. 시설기준은 법정 구비 장비와 법정 사용계약 장비로 나뉘며 자동차튜닝 분야에 따라 장비기준이 달라짐

인력기준
가. 전문인력은 상시 근무하는 기능 · 기술인력을 말하며, 「자격기본법」, 「국가기술자격법」이나 그 밖의 법령에 따라 기능 · 기술자격 정지 및 업무정지 처분을 받은 사람은 제외
※ 이 경우 기능 · 기술인력이 등록기준에 미달되는 경우에는 1개월 내로 보완

▶ 교육 : 전문인력 양성을 위한 원격훈련센터 지정 및 전국 30개 대학교 특성화대학 지정

▶ 경기 : 드라이빙과 튜닝기술 향상을 위한 경연장인 "자동차경주대회"개최
　　※드래그레이스, 드리프트, 오프로드, 짐카나, 오토크로스 등

▶ 대회 : 대한민국명장 및 우수 숙련기술자 장려를 위한 '자동차 튜닝 기능올림픽대회' 시행

고용노동부고시 제 2017 - 94호

「숙련기술장려법」 제11조제1항제1호 및 같은 법 시행령 제10조에 따라 대한민국명장 직종을 다음과 같이 고시합니다.

2017년 12월 28일

고 용 노 동 부 장 관

대한민국명장의 직종 고시

대한민국명장의 직종은 별표와 같다.

부 칙

이 고시는 2018년 1월 1일부터 시행한다.

대한민국명장의 직종	
분 야	**직 종**
1.기계설계	기계설계
2.기계가공	정밀측정, 절삭가공
3.기계조립·관리정비	기계조립, 기계생산관리, 기계정비, 냉동공조설비
4.금형	금형
5.차량철도	자동차정비, 자동차튜닝, 철도신설유지·보수, 철도신호제어, 철도차량 설계제작
6.선박·항공	선박설계, 선박건조, 선박정비, 선박검수검량, 항공기 정비 및 제작
7.금속재료	재료시험, 금속재료제조, 주조, 소성가공, 열처리, 표면처리, 판금·제관, 용접
8.소재개발	세라믹제조, 신소재, 나노기술
9.화학물질 및 화학공정관리	화공, 화약류 제조
10.전기	전기
11.전자	전자기기, 컴퓨터시스템, 반도체개발, 의료장비제조, 디스플레이개발, 로봇개발
12.정보기술	정보처리, 정보통신, 가상현실기술, 증강현실기술, 인공지능, 감성인식기술, 정보보안, 빅데이터분석
13.통신기술	유선통신구축, 무선통신구축
14.방송기술	방송기술
15.광학	광학
16.토목	토목설계, 측량 및 지리정보 개발
17.건축	보일러, 배관시공, 건축설비, 건축시공, 건축목공시공, 장호시공, 건축설계, 실내건축
18.섬유제조	섬유가공, 텍스타일디자인
19.패션	패션디자인, 한복생산, 신발개발·생산
20.에너지·자원	에너지
21.해양자원	잠수
22.농업	농업
23.축산	축산
24.임업	임업, 임산물생산가공
25.수산	수산양식
26.식품가공	식품가공
27.디자인	제품디자인, 시각디자인
28.문화콘텐츠	애니메이션, 영상편집
29.공예	도자공예, 석공예, 목칠공예, 자수공예, 인장공예, 보석및금속공예, 화훼장식
30.인쇄·출판	인쇄·출판
31.이·미용	미용, 이용
32.조리	요리
33.제과·제빵	제과·제빵
34.산업환경	환경관리
35.산업안전	산업안전관리, 위험물안전관리, 산업보건관리, 가스, 비파괴검사
36.소방·방재	소방설비
37.품질관리	품질관리

▲ 고용노동부고시 제 2017-94호 대한민국 명장직종

▶ 제조 : 튜닝부품 수출 및 전시회 지원 및 국내 신차 제작사 튜닝옵션 A-OEM 사업

A-OEM이란?
애프터마켓 OEM이라고 하며, 신차 생산라인에 투입되는 OEM단계가 아닌 출고 후, 고객의 필요에 맞게 외부업체에서 추가장착 후 신규차량등록을 하는 방식.
미국 등 선진국에서는 보편화된 사업으로 일정대수를 정해놓고 진행함으로써 한정판으로 운영
1차대상 부분 : 에어로파츠, 제동장치, 현가장치, 배기장치, 휠, 내외장재, 인스톨

튜닝활성화 시행 사업

● 자동차경주 Festival

▶ 진행계획
· 협회공인 경주페스티벌 개최, 전국 4개 지역 (전남, 강원, 경기, 경북 등)
· 상 · 하반기 순위를 합산하여 서울오토살롱기간 내 분야별 시상 (경기우승, 프로모터, 감독, 미케닉, 오피셜 등)
· 시즌별(상 · 하반기) 종목별 입상자에 한해 시상 및 국제대회(한 · 중 · 일) 출전자격 부여 (드래그, 짐카나, 드리프트, 오프로드, 오토크로스 등)
· 드래그레이스 연 6회 (상 · 하반기 각 3회) 짐카나, 드리프트 연 8회 (상 · 하반기 각 4회) 오프로드, 오토크로스 연 4회 (상 · 하반기 각 2회) 등
· 서킷택시 운영
· 시뮬레이션 자동차 경주대회

● 자동차튜닝 기능올림픽대회

▶ 진행계획
· 참가자격 : 자동차튜닝사 자격소지자
· 자동차튜닝 지방기능올림픽대회 전국 9개 지역 (경기, 부산, 인천, 대구, 대전, 광주, 전북, 충남, 강원)
· 지방기능올림픽대회 입상자는 자동차튜닝사 1급 자격부여
· 지방기능올림픽대회 입상자(1,2,3위)로 전국기능올림픽대회 최종 개최
· 기능올림픽대회의 1위 입상자를 숙련기술자로 추대 (우수숙련기술자는 추후 대한민국명장 후보)

자동차튜닝업

◆ 한국표준산업분류(KSIC) 2017. 01. 13 고시, 2017. 07. 01 시행
◆ 산업분류명 자동차 구조 및 장치변경(튜닝) 산업분류코드 30202

> **"자동차튜닝업(30202)"**
> ▶ 업종에 대한 해설
> 각종 자동차의 성능 향상을 위한 구조변경과 적재, 승차장치 구조를 변경하는 산업활동으로 엔진출력 향상은 연소실 압축비 변경, 라디에이터, 오일펌프 등 관련 부품 또는 장치를 변경하는 작업을 포함한다.
> 그 외 제동장치, 현가장치, 냉각장치, 섀시, 차량 중량 등 기본 설계기준을 재설계 하여 주행성능, 제동성능, 조정안전성 등을 향상시키거나 구조, 장치 및 부품 소재(티타늄, 카본파이버, 우레탄 등) 까지 변경작업이 가능하고, 자동차 전.후 축의 중량 및 길이. 너비. 높이 등을 변경하는 작업도 포함된다.

◆ 사업자등록 안내
 업 태 : 제조
 업 종 : 자동차 구조 및 장치변경 (튜닝)
◆ 사업장입주조건
 500㎡ 이하 건축법에 의한 용도별 건축물의 종류상 제2종 근린생활시설 입주가능

제2종 근린생활시설
제조업소, 수리점 등 물품의 제조, 가공, 수리 등을 위한 시설로서 같은 건축물에 해당 용도로 쓰는 바닥면적의 합계가 500제곱미터 미만이고 다음 요건 중 어느 하나에 해당하는 것

1)"대기환경보전법","수질 및 수생태계 보전에 관한 법률"또는"소음.진동관리법에 따른 배출시설의 설치허가 또는 신고의 대상이 아닌 것
2)"대기환경보전법","수질 및 수생태계 보전에 관한 법률"또는"소음.진동관리법에 따른 배출시설의 설치 허가 또는 신고의 대상 시설이나 귀금속, 장신구 및 관련 제품 제조시설로 발생되는 폐수를 전량 위탁 처리하는 것

 500㎡ 이상 건축법에 의한 용도별 건축물의 종류상 공업지역

출처 : 2017 미래를 함께 할 새로운 직업(고용노동부, 한국고용정보원)
정부육성, 지원 신직업- 자동차튜닝엔지니어

자동차튜닝엔지니어

자동차 소유자의 취향과 감성을 반영하는 자동차튜닝엔지니어

연예인 노홍철은 예능프로그램 '무한도전'에 출연 당시 호피무늬로 도색한 자신의 자동차를 보여주며 개성을 드러냈습니다. 도로에서 흔히 볼 수 있는 경차는 호피무늬의 옷을 입은 후 '홍카'라고 불리며 많은 관심을 받았 죠. 또 다른 예능프로그램 '나 혼자 산다'에서는 웹툰작가 기안84가 자신의 자동차를 빨간색, 파란색 등의 페인 트로 칠한 후 보닛 위에 이니셜까지 새겨 넣는 장면이 방송되었는데요. 다소 난해해보일 수 있는 컬러와 디자인 이었지만 인터넷에서는 평소 자유분방한 성격의 기안84에게 어울리는 자동차 튜닝이라는 긍정적인 평가가 이 어졌습니다.

자동차 튜닝은 개성 넘치는 연예인이나 일부 자동차 마니아들만 한다는 인식이 존재합니다. 너무 튀거나 위협적이라며 자동차 튜닝을 부정적으로 보는 시선도 있죠. 그러나 개성을 중시하는 젊은 운전자가 증가하고 개인 감성을 충족시키려는 욕구가 증대되면서 자동차 튜닝수요는 꾸준히 늘고 있습니다. 자동차 제조사가 공급하는 획일적인 디자인과 성능을 거부하고 자신의 취향에 맞춘 디자인과 성능의 자동차를 갖고 싶어 하는 것이죠.

이미 일본, 미국, 독일 등에서 자동차 튜닝은 낯선 일이 아닙니다. 자동차 대국인 일본에서는 매년 커스텀카(튜닝카) 이벤트인 '도쿄 오토살롱'을 개최하고 있으며, 2015년에서는 참가인원만 30만 명을 기록했습니다. 자동차 강국인 독일은 이미 1980년대부터 자동차 튜닝을 정부 차원에서 육성하기도 했습니다.

국내에서도 자동차 튜닝시장은 빠르게 성장하고 있습니다. 현재 많은 이들이 온라인상에서 자동차 튜닝에 대한 다양한 정보를 공유하고 있으며, 직접 자동차 튜닝에 나서기도 합니다. 그러나 고가의 자동차를 변형하는 일인 만큼 튜닝기술과 센스를 겸비한 전문 인력에 대한 수요도 확대되고 있는데요. 자동차 디자인과 성능을 자동차 소유자의 요구에 맞게 튜닝하는 '자동차튜닝엔지니어'에 대해 알아보겠습니다.

수행직무

차의 성능과 기능을 향상시키기 위하여 자동차의 구조 및 장치를 변경하거나 외관을 꾸미는 것이 튜닝이다. 자동차튜닝엔지니어는 자동차의 기능을 향상하거나 형태를 변화하기 위해 합법적 범위 내에서 자동차를 개조하는 사람으로, 자동차튜너로도 불린다.

튜닝은 자동차 적재장치 및 승차장치의 구조를 변경하는 빌드업튜닝(Buildup tuning), 각종 장치의 성능을 향상시키는 튠업튜닝(tune-up tuning), 취향에 맞게 외관을 변경, 색칠하거나 부착물 등을 추가하는 드레스업튜닝(dress-up tuning)으로 구분된다.

자동차튜닝엔지니어는 자동차를 변형(튜닝)하려는 목적을 파악하여 자동차 개조계획을 수립한 후, 튜닝을 위한 견적을 산출한다. 이때 경주용 튜닝의 경우 경기규칙을 검토하고 규정되어 있는 튜닝 범위를 확인해야 한다. 튜닝을 위하여 자동차의 엔진, 타이어, 휠, 오디오, 핸들, 범퍼 등의 부품을 교체, 부착 및 변형한다. 튜닝작업이 완료되면 시험운전을 통해 자동차에 이상이 없는지 확인한다.

해외현황

[미국]

미국에서는 자동차튜닝엔지니어가 자동차정비원(Automotive Service Technicians and Mechanics)의 세부직업으로 소개

되고 있다. 자동차정비원은 냉동공조분야 (Automotive air-conditioning repairs), 브레이크 분야(Brake repairs), 프런트-리어 분야(Front-end mechanics), 트랜스미션 분야(Transmission technicians and rebuilders), 주행성 분야(Drivability technicians) 등에서 활동한다고 제시되어 있다. 자동차튜닝엔지니어는 자동차 엔진이 효율적으로 작동하는 데 문제가 되는 원인을 종합적으로 분석·진단·정비하는 주행성 분야 정비원으로 볼 수 있다.

주로 자동차 관련 학과나 훈련과정이 개설되어 있으며 자동차정비 관련 자격이 있다. 자동차 튜닝과 관련해서는 직업학교를 중심으로 다양한 교육기관이 마련되어 있다. 특히 엔진, 변속기 등 파워트레인의 고성능 튜닝을 비롯하여 모터스포츠학과가 많다.

미국직업전망(OOH)에 따르면, 자동차튜닝 엔지니어의 임금자료는 없으며 자동차정비원은 2014년 기준 37,120달러(전체 직업 평균 35,540달러)를 받는다.

[영국]

세계 최대 모터산업 종주국인 영국은 세계 최고의 모터스포츠(튜닝)학교 및 학과가 많다. 이런 문화적 배경 아래 F1팀의 본사 대부분이 영국에 있다. 영국은 모터스포츠 팀을 중심으로 산학연 프로그램이 짜임새 있게 구축되어 있다.

영국에서 자동차튜닝엔지니어는 Car tuning specialist, Performance car tuning specialist, Auto tuner, Imported car tuner, Motor sports engineer 등으로 불린다. 이들은 주로 전문튜닝회사, 일반 자동차정비소 등에서 도제식으로 업무를 배운다. 도제기간은 통상 3년 정도다.

대규모 튜닝회사에 근무하는 경우 자동차정비원(mechanic)의 임금을 상회하는데, 일반적으로 4년 정도 경험이 있는 정비원이 25,000파운드 정도를 받는다.

[독일]

독일의 튜닝시장은 23조 정도로 상당히 큰 규모다. 자동차튜닝엔지니어는 Auto(mobil) tuner, Auto Tuning Spezialist, (Kraft) Fahrzeug Tuning Spezialist 등 다양한 명칭으로 불린다.

관련된 별도의(법이 정한) 직업교육은 없으며, 주로 자동차 정비, 자동차 메카트로닉 또는 도장(Paintwork) 관련 직업교육 이수자가 튜닝업체 또는 자동차 정비소에 관련 지식 및 기술을 습득하는 방식으로 훈련이 이루어진다.

마이스터 자격 취득 후 정비소가 튜닝업체 개업이 가능하다. 자동차 튜닝 관련하여 자동차튜너협회(VDAT, Vervand der Automobil Tuner)가 있으나 인력양성보다는 주로 자동차 제조사와의 협업, 튜닝제품 품질검사, 관련법, 홍보 등을 담당한다. 자동차튜너(자동차메카트로니커)의 평균 월급은 약 2,460유로(세전 약 327만 원,2014)다.

[일본]

일본에서는 카튜너, 또는 커스텀매커닉으로 불리는데 '커스터마이징정비사', '주문제작정비사' 라고 할 수 있다. 한국에서 자동차 커스터마이징은 주로 '튜닝'이라는 말로 통용되고 있으므로, '튜닝 정비사'라고 할 수 있을 것이다. 이들은 주로 자동차튜닝업체 등에서 활동하며 디자인이나 차체 구조를 개조해 개성 있는 차량을 완성하는 업무를 수행한다. 고등학교를 졸업하거나 대학(기계과 등을 전공하면 유리), 전문대학, 전문학교 등에서 자동차정비 관련 전공을 한 뒤 자동차튜닝업체에서 경험을 축적하면 커스텀메커닉이 될 수 있다. 국가자격인 자동차정비사와 달리 반드시 필수적인 자격증을 취득해야 하는 것은 아니며 자격증보다는 개인의 자질과 능력이 더 중시된다. 일본은 영국과 함께 세계 최고 수준의 전문 모터스포츠 학과 및 튜너 양성 학과를 운영하고 있는데 자동차 제작사는 전문적인 튜너를 양성하는 전문튜닝학교(혼다인터내셔널 테크니컬, 도요타 동경정비전문학교, 닛산정비학교 등)를 설립해 인력을 양성한다.

국내현황

국내 자동차 튜닝시장은 미국, 독일, 일본에 비해 아직 열세이며 자동차 생산량이 세계적인 수준임을 감안하면 이제 걸음마 수준이라고 할 수 있다. 이는 튜닝대상 항목에 대한 규제, 소비자 보호장치 및 제작자 튜닝 지원제도 부재, 튜닝에 대한 인식 부재 등이 원인으로 꼽힌다.

정부가 2014년 '자동차 튜닝산업 진흥대책'에 따라 자동차 튜닝기준을 마련하고 제도적 틀 안에서 튜닝시장을 건전하게 키우겠다는 계획을 세웠다. 주요 내용은 튜닝 허용 확대, 튜닝 부품인증제, 튜닝시장 확대, 튜닝산업분류 신설 등이다. 이후 소형화물차 포장탑, 화물차 바람막이, 연료 절감 장치 등은 허가 없이 장착가능하며, 벤형 화물차 적재함의 투명유리 교체도 허가 없이 가능해졌다. 또한 모범 튜닝 업체에는 선정·인증마크를 수여하고 튜닝특화 고교 및 대학을 선정하여 기능·고급인력을 양성 지원하고자 한다.

현재 국내 튜닝업체에서는 자동차튜닝엔지니어 채용 시 자동차정비기능사 이상의 자격을 요구하는 것이 일반적이다. 아직 국가자격은 없으나 한국자동차튜닝산업협회, 한국자동차튜닝협회 등에서 민간자격(자동차튜닝사)을 운영하고 있기는 하다.

자동차튜닝엔지니어에 대한 공식적인 통계는 없으나 대략 국내 튜닝 관련 업체가 500~2,000개에 달하는 것으로 업계에서는 추정하며 자동차튜닝만을 전문으로 하는 업장도 있으나 대부분 자동차 정비업을 겸하고 있다.

필요 역량 및 교육

기본적으로 자동차에 대한 애정과 관심이 있는 자에게 적합한 직업이며, 독창적인 아이디어를 구현할 수 있어야 하므로 미캐닉에 대한 센스뿐 아니라 디자인 감각을 갈고 닦아야 능력을 인정받을 수 있다. 차종 및 해당 차종에 대한 적합한 부품에 대한 폭넓은 지식을 갖춰야 하며 용접, 판금, 기계가공, 도장, 부품이나 차량 사양에 관한 트렌드를 파악하는 것도 중요하다. 다양한 고민과 요구사항을 제시하는 고객을 상대로 자신의 지식과 기술을 총동원해 상담에 응하고 적절한 조언을 해줄 수 있어야 하는 만큼 커뮤니케이션 능력과 서비스 정신이 요구된다. 또한 튜닝 범위가 법적으로 제한되는 만큼 허용되는 범위 내에서 창의성과 서비스 정신을 발휘할 수 있는 직업윤리가 요구 된다.

자동차튜닝엔지니어로 종사하기 위해서는 자

서는 자동차디자인, 자동차 IT, 자동차정비 등을 배운다. 한편 직접적인 관련은 낮지만 직업훈련기관이나 직업학교 등의 자동차 정비 관련 훈련과정도 튜닝엔지니어 인력 양성에 긍정적인 역할을 할 것으로 보인다. 현재 튜닝업체에서 일하는 인력의 경우 자동차정비를 담당하던 인력이 기술과 경험을 쌓아 튜닝분야로 진입하는 경우가 간혹 있다.

동차수리업체나 자동차튜닝 전문점 등에서 경험을 쌓는 것이 유리하다.

최근 전문대학을 중심으로 튜닝엔지니어를 양성하기 위한 학과들이 꾸준히 개설되고 있는 추세이며, 4년제인 경기대학교가 자동차튜닝공학과를 신설하여 2018년부터 운영한다.

향후 자동차튜닝엔지니어는 정부의 전문 인력 양성 추진계획에 따라 기술인력(Engineer)과 기능인력(Technician)으로 나누어 양성될 예정이다. 대학뿐만 아니라 자동차관련 학과가 설치된 고등학교도 10개 이상이다. 이들 과에

향후 전망

그동안 자동차튜닝은 산업분류와 직업분류도 없이 정비업에 혼재되어 있거나 도소매업 등으로 합법과 불법의 경계선으로 이뤄져 왔다. 그러나 정부 차원에서 자동차튜닝산업 활성화를 위해 자동차튜닝업 및 자동차튜닝원 신설이 추진되어 2017년 1월 한국표준산업분류(KSIC) 개정·고시를 통해 자동차튜닝업이 신설되었다. 자동차튜닝업 신설로 인해 정비업과 분류되어 독립된 산업군으로 사업을 영위하게 되면 좀 더 안정적인 튜닝산업의 기틀이 마련될 것으로 보인다.

또한 제4차 산업혁명 시대를 대비하여 정부가 자동차튜닝업을 신성장산업으로 지정하였고 자동차튜닝엔지니어를 국가기간·전략산업직종으로 선정한 바 있다. 향후 자동차튜닝업이 제조업의 한 분야로 신설됨에 따라 그동안 영세시장으로 평가받았던 자동차튜닝업체데 대한 인식을 새롭게 하여 체계적인 지원을 이끌어낼 계기로 작용할 전망이다, 지자체에서도 튜닝클러스터 조성에 적극 나서고 있어 추후 중소·중견으로의 성장이 가능할 것으로 보인다.

자동차정비업과 자동차튜닝업의 작업구분 비교

사례

정비범위	자동차전문정비업	자동차튜닝업
원동기	· 에어클리너엘리먼트의 교환 · 오일펌프를 제외한 윤활장치의 점검 · 정비 · 디젤분사펌프 및 가스용기를 제외한 연료장치의 점검 · 정비 · 냉각장치의 점검 · 정비 · 머플러의 교환 · 실린더헤드 및 타이밍벨트의 점검 · 정비 (원동기의 종류에 따라 매연측정기 · 일산화탄소측정기 또는 탄화수소측정기를 갖춘 경우에 한한다) · 윤활장치의 점검 · 정비 · 디젤분사펌프 및 가스용기를 제외한 연료장치의 점검 · 정비 · 배기장치의 점검 · 정비 · 플라이휠(flywheel) 및 센터베어링(centerbearing)의 점검 · 정비	· 엔진 및 밋션 오일클러 장착 (자동차튜닝사 2급) · 냉각수브리더 탱크제작, 장착 (자동차튜닝사 2급) · 인터클러 및 인터쿨러 라인 제작, 장착 (자동차튜닝사 2급) · 경량풀리 제작, 장착 (자동차튜닝사 2급) · 인테이크 제작, 장착 (자동차튜닝사 2급) · ECU 켈리브레이션 튜닝 (자동차튜닝사 1급) · 대용량 터빈 인젝터 튜닝 (자동차튜닝사 1급) · 엔진 클리어런스 및 보링, 터보 과급기 장착 (자동차튜닝사 1급) · 배기머플러 제작, 장착 (자동차튜닝사 2급) · 듀얼머플러 구조변경 (자동차튜닝사 2급) · 커스텀 배기라인 제작 (자동차튜닝사 2급) · 가변배기 제작, 장착 (자동차튜닝사 2급) · 엔진 압축압력 변경, 캠샤프트와 밸브스프링 등 셋팅(자동차튜닝사 1급) · 흡기포팅, 배기포팅, 배기단열 (자동차튜닝사 1급) · 하이캠─실린더헤드, 단조피스톤, 단조컨로드, 스트로크깃 제작 및 장착 (자동차튜닝사 1급) · 실린더보어업, 강화슬리브, 경량단조 크랭크 제작, 장착(자동차튜닝사 1급) · 대용량 오일팬, 드라이섬프, 고속냉각팬, 대용량 인젝터, 대용량 인젝터, 연료압 레귤레이터 장착 (자동차튜닝사 1급) · 엔진 스왑(업그레이드) (자동차튜닝사 1급) · 전기모터 스왑 (자동차튜닝사 1급) · 액티브 사운드 제작, 장착 (자동차튜닝사 2급)
동력 전달장치	· 오일의 보충 및 교환 · 액셀레이터케이블의 교환 · 클러치케이블의 교환 · 클러치의 점검 · 정비 · 변속기의 점검 · 정비 · 차축 및 추진축의 점검 · 정비 · 변속기와 일체형으로 된 차동기어의 교환 · 점검 · 정비	· 튜닝용 클러치 장착 (자동차튜닝사 2급) · L.S.D 장착 (자동차튜닝사 2급) · 변속레버 퀵시프트 (자동차튜닝사 2급) · 튜닝용 변속기 교체 (자동차튜닝사 1급) · 경량 플라이휠 작업 (자동차튜닝사 2급) · 릴리스베어링 간극조정 및 제작 (자동차튜닝사 1급) · 트윈플레이트 클러치 셋팅 (자동차튜닝사 1급) · 구동축 변경 (자동차튜닝사 2급) · 기어비(종감속) 작업 (자동차튜닝사 1급) · 미션 스왑(업그레이드) (자동차튜닝사 1급)

제동장치	· 오일의 보충 및 교환
	· 브레이크 호스 · 페달 및 레버의 점검 · 정비
	· 브레이크라이닝의 교환
	· 브레이크 파이프 · 호스 · 페달 및 레버와
	  공기탱크의 점검 · 정비
	· 브레이크라이닝 및 케이블의 점검 · 정비
		· 대용량 캘리퍼 2P, 4P, 6P, 8P 브레이크 장착
		  (자동차튜닝사 2급)
		· 강화브레이크 호스 장착 (자동차튜닝사 2급)
		· 경량 디스크로터 장착 (자동차튜닝사 2급)
		· 튜닝용 브레이크 켈리퍼, 패드, 디스크 장착
		  (자동차튜닝사 2급)
		· 브레이크 배분, 압력 등 조율 셋팅 작업
		  (자동차튜닝사 1급)
		· 브레이크 브라켓제작 (자동차튜닝사 2급)
		· 브레이크 타입(슈→디스크)변경 (자동차튜닝사 1급)
		· 유압사이드브레이크 장착 (자동차튜닝사 1급)
		· 전자파킹 사이드브레이크에 추가 캘리퍼 장착
		  (자동차튜닝사 2급)

조향장치	· 조향핸들의 점검 · 정비	· 드리프트용 와이드 타각 킷 (자동차튜닝사 1급) · 웜기어 교환 및 작업 (자동차튜닝사 1급) · 스티어링휠 조향 셋팅 (자동차튜닝사 2급) · 튜닝용 스티어링휠 장착 (자동차튜닝사 2급)

주행장치	· 허브베어링을 제외한 주행장치의
	  점검 · 정비
	· 허브베어링의 점검 · 정비
	· 차륜(허브베어링을 포함한다)의 점검 · 정비
	  (차륜정렬은 부품의 탈거등을 제외한
	  단순조정에 한한다)
		· 튜닝용 얼라이먼트 조정 (자동차튜닝사 2급)
		· 허브스페이서 (자동차튜닝사 2급)
		· 휠/타이어 튜닝 및 인치업 튜닝 (자동차튜닝사 2급)
		· 일체식 허브베어링 작업 (자동차튜닝사 1급)

완충장치	· 다른 장치와 분리되어 설치된
	  쇽업쇼바의 교환
	· 쇽업쇼바의 점검 · 정비
	· 코일스프링(쇽업쇼바의 선행작업)의
	  점검 · 정비
		· 일체형 쇽업쇼바 차고조정, 장착 (자동차튜닝사 2급)
		· 코일오버 쇼크압쇼바 장착 (자동차튜닝사 2급)
		· 로워링 스프링 장착 (자동차튜닝사 2급)
		· 필로우볼 장착 (자동차튜닝사 2급)
		· 에어쇼바 장착 (자동차튜닝사 2급)
		· 로어암 교체작업 (자동차튜닝사 2급)
		· 차체완충 부싱작업 (자동차튜닝사 2급)

전기장치	· 전조등 및 속도표시등을 제외한
	  전기장치의 점검 · 정비
	· 전조등 및 속도표시등을 제외한
	  전기 · 전자장치의 점검 · 정비
		· 전조등 오토헤드램프 장착, 전조등 탈,부착
		  (자동차튜닝사 2급)
		· LED간접조명 설치(내부) (자동차튜닝사 2급)

기타	· 안전벨트를 제외한 차내설비의
	  점검 · 정비
	· 판금 · 도장 및 용접을 제외한 차체의
	  점검 · 정비
	· 세차 및 섀시 각부의 급유
	· 판금 또는 용접을 제외한 차체의
	  점검 · 정비
	· 부분도장
	· 차내설비의 점검 · 정비
	· 세차 및 섀시 각부의 급유
		· 아크 + 알곤 용접 (자동차튜닝사 2급)
		· 바디킷(에어로파츠 장착) 제작, 장착 (자동차튜닝사
		  2급)
		· 스테빌라이저, 언더브레이스, 스트럿바 장착
		  (자동차튜닝사 2급)
		· 안전 · 편의장치(버킷시트, 썬루프 등) 추가 장착
		  (자동차튜닝사 2급)
		· 자동차 방음, 방진, 노이즈제거 (자동차튜닝사 2급)
		· 적재함 롤바, 커버, 하드탑 장착 (자동차튜닝사 2급)
		· 전기차 개조 작업 (자동차튜닝사 1급)
		· 다목적차량 개조 작업 (자동차튜닝사 1급)

자동차튜닝 학습서 **II** [섀시 & 차체 튜닝]

초판 인쇄 | 2019년　6월　10일
초판 발행 | 2019년　6월　17일

엮 은 이 | (사)한국자동차튜닝산업협회 편찬위원회
발 행 인 | 김길현
발 행 처 | (주)골든벨
등　　록 | 제 1987—000018 호 ⓒ 2019 Golden Bell
I S B N | 979-11-5806-388-7
가　　격 | 24,000원

이 책을 만든 사람들

편　　　　　　　집 | 이상호
본 문 디 자 인 | 안명철
웹 매 니 지 먼 트 | 안재명, 최레베카, 김경희
공 급 관 리 | 오민석, 김정슈, 김봉식

디　　자　　인 | 조경미, 김한일, 김주휘
제 작 진 행 | 최병석
오 프 마 케 팅 | 우병춘, 강승구, 이강연
회 계 관 리 | 이승희, 김경아

⊕ 04316 서울특별시 용산구 원효로 245[원효로1가 53-1] 골든벨빌딩 5~6F
● TEL : 도서 주문 및 발송 02-713-4135 / 회계 경리 02-713-4137
　　　 내용 관련 문의 02-713-7452 / 해외 오퍼 및 광고 02-713-7453
● FAX : 02-718-5510　● http : // www.gbbook.co.kr　● E-mail : 7134135@ naver.com